Suhrkamp BasisBibliothek 86

Diese Ausgabe der »Suhrkamp BasisBibliothek – Arbeitstexte
für Schule und Studium« bietet nicht nur Friedrich Schillers
»romantische Tragödie« *Die Jungfrau von Orleans*, sondern
im Anhang auch Auszüge aus den Gerichtsprotokollen des Verfahrens gegen die historische Jeanne d'Arc sowie einen Kommentar, der alle für das Verständnis des Stückes erforderlichen
Informationen enthält: eine Zeittafel zu den historischen Ereignissen sowie Materialien zum geschichtlichen Hintergrund, eine
Zeittafel zu Leben und Werk des Autors, die Entstehungs- und
Textgeschichte, die Wirkungsgeschichte, einen Überblick über
die Deutungsaspekte, Literaturhinweise sowie Wort- und Sacherläuterungen.
Zu ausgesuchten Texten der Suhrkamp BasisBibliothek erscheinen im Cornelsen Verlag Hörbücher und CD-ROMs. Weitere
Informationen erhalten Sie unter www.cornelsen.de.
Barbara Potthast lehrt Deutsche Literaturwissenschaft an den
Universitäten Stuttgart und Osnabrück. Habilitation zum histo-
rischen Roman des 19. Jahrhunderts, Arbeiten zur Aufklärung,
zum 19. Jahrhundert und zur klassischen Moderne.
Alexander Reck, Dr. phil., Literaturwissenschaftler und Histo-
riker, ist im Schuldienst in Baden-Württemberg tätig. Veröffent-
lichungen u. a. zu Eduard Mörike, Friedrich Theodor Vischer,
Paul Ernst, Erich Kästner, Goethe und Kafka.

Friedrich Schiller
Die Jungfrau von Orleans

Eine romantische Tragödie

Mit einem Kommentar
von Barbara Potthast
und Alexander Reck

Suhrkamp

Der vorliegende Text folgt der Ausgabe:
Friedrich Schiller, *Werke und Briefe in zwölf Bänden*.
Herausgegeben von Otto Dahn, Heinz Gerd Ingenkamp,
Rolf-Peter Janz, Gerhard Kluge, Herbert Kraft,
Georg Kurscheidt, Matthias Luserke, Norbert Oellers,
Mirjam Springer und Frithjof Stock. Band 5: *Dramen IV*.
Herausgegeben von Matthias Luserke, Frankfurt am Main:
Deutscher Klassiker Verlag 1996, S. 149-277 und S. 600-615.
Karten im Kommentarteil: © cartomedia, Angelika Solibieda,
Karlsruhe (angefertigt für Gerd Krumeich, Jeanne d'Arc. Die Ge-
schichte der Jungfrau von Orleans. C. H. Beck Wissen. Verlag
C. H. Beck oHG, München).

3. Auflage 2018

Erste Auflage 2009
Originalausgabe
Suhrkamp BasisBibliothek 86

Satz: Jouve Germany, Kriftel
Druck: CPI – Ebner & Spiegel, Ulm
Umschlagabbildung: Schiller-Nationalmuseum/Deutsches Literatur-
archiv, Marbach
Umschlaggestaltung: Regina Göllner und Hermann Michels
Printed in Germany

ISBN 978-3-518-18886-6

Inhalt

Die Jungfrau von Orleans

Eine romantische Tragödie

Personen

KARL DER SIEBENTE, *König von Frankreich.*
KÖNIGIN ISABEAU, *seine Mutter.*
AGNES SOREL, *seine Geliebte.*
PHILIPP DER GUTE, *Herzog von Burgund.*
GRAF DÜNOIS *Bastard von Orleans.*
LA HIRE,
DÜ CHATEL } *königliche Offiziere.*
ERZBISCHOF VON RHEIMS.
CHATILLON, *ein burgundischer*
RAOUL, *ein lothringischer* } *Ritter.*
TALBOT, *Feldherr der Engelländer.*
LIONEL,
FASTOLF, } *englische Anführer.*
MONTGOMERY, *ein Walliser.*
MEHRERE FRANZÖSISCHE, BURGUNDISCHE UND
ENGLISCHE RITTER.
RATSHERREN VON ORLEANS.
EIN ENGLISCHER HEROLD.
THIBAUT D'ARC, *ein reicher Landmann.*
MARGOT,
LOUISON, } *seine Töchter.*
JOHANNA,
ETIENNE,
CLAUDE MARIE, } *ihre Freier.*
RAIMOND,
BERTRAND, *ein anderer Landmann.*
Die Erscheinung eines schwarzen Ritters.
Köhler und Köhlerweib.
Pagen, Soldaten und Volk.
Königliche Kronbediente, Bischöfe, Marschälle,
Magistratspersonen, Hofleute, Damen, Kinder und andere
stumme Personen im Gefolge des Krönungszuges.
Die Zeit der Handlung ist das Jahr 1430.
Die Szene wechselt in verschiedenen Gegenden Frankreichs.

8

Prolog*

Vorspiel,
Vorrede

*Eine ländliche ⌐Gegend⌐. Vorn zur Rechten ein Heiligen-
bild* in einer Kapelle; zur Linken eine hohe ⌐Eiche⌐.*

Bild der
Jungfrau
Maria

⟨Erster Auftritt⟩

*Thibaut d'Arc. Seine drei Töchter. Drei junge Schäfer, ihre
Freier.*

THIBAUT Ja, liebe Nachbarn! Heute sind wir noch
  Franzosen, freie Bürger noch und Herren
  Des alten Bodens, den die Väter pflügten;
  Wer weiß, wer morgen über uns befiehlt!
5 Denn aller Orten läßt der Engelländer
  Sein sieghaft Banner* fliegen, seine Rosse

Fahne

  Zerstampfen Frankreichs blühende Gefilde.*

Gegend,
Landschaft

  Paris hat ihn als Sieger schon empfangen,
  Und mit der alten Krone ⌐Dagoberts⌐
10 Schmückt es den ⌐Sprößling⌐ eines fremden Stamms.
  Der Enkel* unsrer Könige muß irren

Karl VII. von
Frankreich

  Enterbt und flüchtig durch sein eignes Reich,
  Und wider ihn im Heer der Feinde kämpft
  Sein nächster ⌐Vetter⌐ und sein erster Pair*,

Angehöriger
des franz.
Hochadels

15 Ja seine ⌐Rabenmutter⌐ führt es an.
  Rings brennen Dörfer, Städte. Näher stets
  Und näher wälzt sich der Verheerung Rauch
  An diese Täler, die noch friedlich ruhn.
  – Drum, liebe Nachbarn, hab ich mich mit Gott
20 Entschlossen, weil* ichs heute noch vermag,

während

  Die Töchter zu versorgen, denn das Weib
  Bedarf in Kriegesnöten des Beschützers,
  Und treue Lieb' hilft alle Lasten heben.
  Zu dem ersten Schäfer
  – Kommt, Etienne! Ihr werbt um meine Margot,

Die Äcker grenzen nachbarlich zusammen, 25
Die Herzen stimmen überein – das stiftet

Ehebündnis

Ein gutes Ehband!*
Zu dem zweiten Claude Marie! Ihr schweigt,
Und meine Louison schlägt die Augen nieder?
Werd' ich zwei Herzen trennen, die sich fanden,
Weil ihr nicht Schätze mir zu bieten habt? 30
Wer hat jetzt Schätze? Haus und Scheune sind
Des nächsten Feindes oder Feuers Raub –
Die treue Brust des braven Manns allein
Ist ein sturmfestes Dach in diesen Zeiten.
LOUISON Mein Vater! 35
CLAUDE MARIE   Meine Louison!
LOUISON *Johanna umarmend:*   Liebe Schwester!
THIBAUT Ich gebe jeder dreißig Acker Landes
Und Stall und Hof und eine Herde – Gott
Hat mich gesegnet und so segn' er euch!
MARGOT *Johanna umarmend:*
Erfreue unsern Vater. Nimm ein Beispiel!

Verlobun-
gen, Verbin-
dungen

Laß diesen Tag drei frohe Bande* schließen. 40
THIBAUT Geht! Machet Anstalt. Morgen ist die Hochzeit,
Ich will, das ganze Dorf soll sie mit feiern.
Die zwei Paare gehen Arm in Arm geschlungen ab

⟨Zweiter Auftritt⟩

THIBAUT ⌜Jeannette⌝, deine Schwestern machen Hochzeit,
Ich seh sie glücklich, sie erfreun mein Alter,
Du, meine jüng're, machst mir Gram und Schmerz. 45
RAIMOND Was fällt euch ein! Was scheltet ihr die Tochter?
THIBAUT Hier dieser wackre Jüngling, dem sich keiner
Vergleicht im ganzen Dorf, der Treffliche,
Er hat dir seine Neigung zugewendet,
Und wirbt um dich, schon ists der dritte Herbst, 50

10

Mit stillem Wunsch, mit herzlichem Bemühn,
Du stößest ihn verschlossen, kalt, zurück,
Noch sonst ein andrer von den Hirten allen
Mag dir ein gütig Lächeln abgewinnen.
55 – Ich sehe dich in Jugendfülle prangen,
Dein Lenz* ist da, es ist die Zeit der Hoffnung,   Frühling
Entfaltet ist die Blume deines Leibes,
Doch stets vergebens harr' ich*, daß die Blume   warte ich
Der zarten Lieb' aus ihrer Knospe breche,
60 Und freudig reife zu der goldnen Frucht!
O das gefällt mir nimmermehr und deutet
Auf eine schwere Irrung der Natur!
Das Herz gefällt mir nicht, das streng und kalt
Sich zuschließt in den Jahren des Gefühls.
65 RAIMOND Laßt's gut sein, Vater Arc! Laßt sie gewähren!
Die Liebe meiner trefflichen Johanna
Ist eine edle zarte Himmelsfrucht,
Und still allmählig reift das Köstliche!
Jetzt liebt sie noch, zu wohnen auf den Bergen,
70 Und von der freien Heide fürchtet sie
Herabzusteigen in das niedre Dach
Der Menschen, wo die engen Sorgen wohnen.
Oft seh ich ihr aus tiefem Tal mit stillem
Erstaunen zu, wenn sie auf hoher Trift*   Weide (von
75 In Mitte ihrer Herde ragend steht,   ›treiben‹:
Mit edelm Leibe, und den ernsten Blick   der Ort, wo-
Herabsenkt auf der Erde kleine Länder.   hin getrie-
Da scheint sie mir was höh'res zu bedeuten,   ben wird)
Und dünkt mir's oft, sie stamm' aus andern Zeiten.
80 THIBAUT Das ist es, was mir nicht gefallen will!
Sie flieht der Schwestern fröhliche Gemeinschaft,
Die öden Berge sucht sie auf, verlässet
Ihr nächtlich Lager vor dem Hahnenruf,
Und in der Schreckensstunde, wo der Mensch
85 Sich gern vertraulich an den Menschen schließt,

Schleicht sie, gleich dem einsiedlerischen Vogel*,
Heraus ins graulich düstre Geisterreich
Der Nacht, tritt auf den Kreuzweg* hin und pflegt
Geheime Zwiesprach* mit der Luft des Berges.
Warum erwählt sie immer diesen Ort   90
Und treibt gerade hieher ihre Herde?
Ich sehe sie zu ganzen Stunden sinnend
Hier unter dem ⌈Druidenbaume⌉ sitzen,
Den alle glückliche Geschöpfe fliehn.
Denn nicht geheur ists hier, ein böses Wesen   95
Hat seinen Wohnsitz unter diesem Baum
Schon seit der alten grauen Heidenzeit.
Die Ältesten im Dorf' erzählen sich
Von diesem Baume schauerhafte Mären*,
Seltsamer Stimmen wundersamen Klang   100
Vernimmt man oft aus seinen düstern Zweigen.
Ich selbst, als mich in später Dämmrung einst
Der Weg an diesem Baum vorüberführte,
Hab ein gespenstisch Weib hier sitzen sehn.
Das streckte mir aus weitgefaltetem   105
Gewande langsam eine dürre Hand
Entgegen, gleich als winkt' es, doch ich eilte
Fürbaß* und Gott befahl ich meine Seele.

RAIMOND *auf das Heiligenbild in der Kapelle zeigend:*
Des Gnadenbildes segenreiche Näh,
Das hier des Himmels Frieden um sich streut,   110
⌈Nicht Satans Werk⌉ führt eure Tochter her.

THIBAUT O nein! nein! Nicht vergebens zeigt sichs mir
In Träumen an und ängstlichen Gesichten*.
Zu dreien Malen hab' ich sie gesehn
Zu ⌈Rheims⌉ auf unsrer Könige Stuhle sitzen,   115
Ein funkelnd Diadem* von sieben Sternen
Auf ihrem Haupt, das Zepter* in der Hand,
Aus dem drei weiße Lilien* entsprangen,
Und ich, ihr Vater, ihre beiden Schwestern

wie die Eule

Wegkreu-
zung
Zwiesprache

Geschichten

weiter

Erscheinun-
gen, Offen-
barungen

Wertvoller
Stirnreif
Herrscher-
stab
Erscheinen
im Wappen
der franz.
Könige

20 Und alle Fürsten, Grafen, Erzbischöfe,
Der König selber, neigten sich vor ihr.
Wie kommt mir solcher Glanz in meine Hütte?
O das bedeutet einen tiefen Fall!
Sinnbildlich stellt mir dieser Warnungstraum
25 Das eitle Trachten ihres Herzens dar.
Sie schämt sich ihrer Niedrigkeit – weil Gott
Mit reicher Schönheit ihren Leib geschmückt,
Mit hohen Wundergaben sie gesegnet,
Vor allen Hirtenmädchen dieses Tals,
30 So nährt sie sünd'gen Hochmut in dem Herzen,
Und Hochmut ist's, wodurch die Engel fielen,
Woran der Höllengeist den Menschen faßt.
RAIMOND Wer hegt bescheidnern tugendlichern Sinn
Als eure fromme Tochter? Ist sie's nicht,
35 Die ihren ältern Schwestern freudig dient?
Sie ist die hochbegabteste von allen,
Doch seht ihr sie wie eine niedre Magd
Die schwersten Pflichten still gehorsam üben,
Und unter ihren Händen wunderbar
40 Gedeihen euch die Herden und die Saaten;
Um alles was sie schafft ergießet sich
Ein unbegreiflich überschwenglich Glück.
THIBAUT Ja wohl! Ein unbegreiflich Glück – Mir kommt
Ein eigen Grauen an bei diesem Segen!
45 – Nichts mehr davon. Ich schweige. Ich will schweigen;
Soll ich mein eigen teures Kind anklagen?
Ich kann nichts tun als warnen, für sie beten!
Doch warnen muß ich – Fliehe diesen Baum,
Bleib nicht allein, und grabe keine ⌜Wurzeln⌝
50 Um Mitternacht, bereite keine Tränke,
Und schreibe keine Zeichen in den Sand –
Leicht aufzuritzen ist das Reich der Geister,
Sie liegen wartend unter dünner Decke,
Und leise hörend stürmen sie herauf.

Bleib nicht allein, denn ⌐in der Wüste trat   15⌐
Der Satansengel selbst zum Herrn des Himmels⌐.

⟨Dritter Auftritt⟩

Bertrand tritt auf, einen Helm in der Hand.
RAIMOND Still! Da kommt Bertrand aus der Stadt zurück.
Sieh was er trägt!
BERTRAND   Ihr staunt mich an, ihr seid
wegen Verwundert ob* des seltsamen Gerätes
In meiner Hand.   16⌐
THIBAUT   Das sind wir. Saget an.
Wie kamt ihr zu dem Helm, was bringt ihr uns
Das böse Zeichen in die Friedensgegend?
*Johanna, welche in beiden vorigen Szenen still und ohne
Anteil auf der Seite gestanden, wird aufmerksam und tritt
näher.*
BERTRAND Kaum weiß ich selbst zu sagen, wie das Ding
Mir in die Hand geriet. Ich hatte eisernes
Städtchen Gerät mir eingekauft zu Vaucouleurs*,   16⌐
im Norden Ein großes Drängen fand ich auf dem Markt,
von Dom- Denn flücht'ges Volk war eben angelangt
rémy
Nachrichten Von Orleans mit böser Kriegespost*.
vom Krieg Im Aufruhr lief die ganze Stadt zusammen,
Und als ich Bahn mir mache durchs Gewühl   17⌐
tritt zu mir Da tritt* ein braun Bohemerweib* mich an
Zigeunerin Mit diesem Helm, faßt mich ins Auge scharf
Und spricht: Gesell, ihr suchet einen Helm,
Ich weiß, ihr suchet einen. Da! Nehmt hin!
Um ein geringes steht er euch zu Kaufe.   17⌐
– Geht zu den ⌐Lanzenknechten⌐, sagt' ich ihr,
Ich bin ein Landmann, brauche nicht des Helmes.
Sie aber ließ nicht ab und sagte ferner:
Kein Mensch vermag zu sagen, ob er nicht

14

Des Helmes braucht. Ein stählern Dach fürs Haupt
Ist jetzo mehr wert als ein steinern Haus.
So trieb sie mich durch alle Gassen, mir
Den Helm aufnötigend, den ich nicht wollte.
Ich sah den Helm, daß er so blank und schön
Und würdig eines ritterlichen Haupts,
Und da ich zweifelnd in der Hand ihn wog,
Des Abenteuers Seltsamkeit bedenkend,
Da war das Weib mir aus den Augen schnell,
Hinweggerissen hatte sie der Strom
Des Volkes, und der Helm blieb mir in Händen.

JOHANNA *rasch und begierig darnach greifend:*
Gebt mir den Helm!

BERTRAND   Was frommt* euch dies Geräte?   nützt
Das ist kein Schmuck für ein jungfräulich Haupt.

JOHANNA *entreißt ihm den Helm:*
Mein ist der Helm und mir gehört er zu.

THIBAUT Was fällt dem Mädchen ein?

RAIMOND   Laßt ihr den Willen!
Wohl ziemt ihr dieser kriegerische Schmuck,
Denn ihre Brust verschließt ein männlich Herz.
Denkt nach, wie sie den Tigerwolf* bezwang,   Tüpfelhyäne
Das grimmig wilde Tier, das unsre Herden   (franz.
Verwüstete, den Schrecken aller Hirten.   ›loup-tigre‹)
Sie ganz allein, die löwenherz'ge Jungfrau,
⌜Stritt mit dem Wolf und rang das Lamm ihm ab,
Das er im blut'gen Rachen schon davon trug⌝.
Welch tapfres Haupt auch dieser Helm bedeckt,
Er kann kein würdigeres zieren!

THIBAUT *zu Bertrand:*   Sprecht!
Welch neues Kriegesunglück ist geschehn?
Was brachten jene Flüchtigen?

BERTRAND   Gott helfe
Dem König und erbarme sich des Landes!
Geschlagen sind wir in ⌜zwei großen Schlachten⌝,

Dritter Auftritt   15

Mitten in Frankreich steht der Feind, verloren

Sind alle Länder bis an die Loire* –   210

Jetzt hat er seine ganze Macht zusammen

Geführt, womit er Orleans belagert.

THIBAUT

Was! Gnügt ihm nicht in Mitternacht* zu herrschen,

Und soll auch noch der friedliche Mittag*

Des Krieges Geißel fühlen?

BERTRAND   Unermeßliches

Geschütz ist aufgebracht von allen Enden,

Und wie ⌈der Bienen dunkelnde Geschwader⌉   21!

Den Korb umschwärmen in des Sommers Tagen,

Wie aus geschwärzter Luft die ⌈Heuschreckwolke⌉

Herunterfällt und Meilenlang die Felder

Bedeckt in unabsehbarem Gewimmel,

So goß sich eine Kriegeswolke aus   220

Von Völkern über Orleans Gefilde,

Und von der Sprachen unverständlichem

Gemisch verworren dumpf erbraus't das Lager.

Denn auch der mächtige Burgund, der Länder-

Gewaltige hat seine Mannen alle   22!

Herbeigeführt, ⌈die Lütticher, Luxemburger,

Die Hennegauer, die vom Lande Namur,

Und die das glückliche Brabant bewohnen,

Die üpp'gen Genter, die in Samt und Seide

Stolzieren, die von Seeland, deren Städte   230

Sich reinlich aus dem Meeres-Wasser heben,

Die Herdenmelkenden Holländer, die

Von Utrecht, ja vom äußersten Westfriesland⌉,

Die nach dem Eispol schaun – Sie alle folgen

Dem Heerbann* des gewaltig herrschenden   23!

Burgund und wollen Orleans bezwingen.

THIBAUT O des unselig jammervollen Zwists,

Der Frankreichs Waffen wider Frankreich wendet!

BERTRAND Auch sie, die alte Königin, sieht man,

Die stolze Isabeau, die Baierfürstin,
In Stahl gekleidet durch das Lager reiten,
Mit gift'gen Stachelworten alle Völker
Zur Wut aufregen wider ihren Sohn,
Den sie in ihrem Mutterschoß getragen!

THIBAUT Fluch treffe sie! Und möge Gott sie einst
Wie jene stolze ⌈Jesabel⌉ verderben!

BERTRAND Der fürchterliche ⌈Salsbury⌉, der Mauren-
Zertrümmerer*, führt die Belagrung an,   Mauernzer-
Mit ihm des Löwen Bruder ⌈Lionel⌉,   trümmerer
Und Talbot, der mit mörderischem Schwert
Die Völker niedermähet in den Schlachten.
In frechem Mute haben sie geschworen,
Der Schmach zu weihen alle Jungfrauen,
Und was* das Schwert geführt, dem Schwert zu opfern.   wer
Vier hohe Warten* haben sie erbaut,   Beobach-
Die Stadt zu überragen; oben späht   tungstürme
Graf Salsbury mit mordbegier'gem Blick,
Und zählt den schnellen Wandrer auf den Gassen.
Viel tausend Kugeln schon von Zentners Last
Sind in die Stadt geschleudert, Kirchen liegen
Zertrümmert, und der königliche Turm
Von ⌈Notre Dame⌉ beugt sein erhabnes Haupt.
Auch Pulvergänge haben sie gegraben
Und über einem Höllenreiche steht
Die bange Stadt, gewärtig* jede Stunde,   erwartend
Daß es mit Donners Krachen sich entzünde.
*Johanna horcht mit gespannter Aufmerksamkeit und
setzt sich den Helm auf*

THIBAUT Wo aber waren denn die tapfern Degen*   Kämpfer
⌈Saintrailles⌉, La Hire und Frankreichs Brustwehr*,   Ringförmige
Der heldenmüt'ge ⌈Bastard⌉, daß der Feind   Schutz-
So allgewaltig reißend vorwärts drang?   mauer auf
Wo ist der König selbst, und sieht er müßig   Befesti-
Des Reiches Not und seiner Städte Fall?   gungsanla-
                                                gen

BERTRAND Zu Chinon* hält der König seinen Hof,
Es fehlt an Volk, er kann das Feld nicht halten.
Was nützt der Führer Mut, der Helden Arm,   27
Wenn bleiche Furcht die Heere lähmt?
Ein Schrecken, wie von Gott herabgesandt,
Hat auch die Brust der Tapfersten ergriffen.
Umsonst erschallt der Fürsten Aufgebot*.
Wie sich die Schafe bang zusammen drängen,   28
Wenn sich des Wolfes Heulen hören läßt,
So sucht der Franke*, seines alten Ruhms
Vergessend, nur die Sicherheit der Burgen.
Ein einz'ger Ritter nur, hört' ich erzählen,
Hab' eine schwache Mannschaft aufgebracht,   28
Und zieh' dem König zu mit sechzehn Fahnen*.

JOHANNA *schnell:*
Wie heißt der Ritter?

BERTRAND   ⌐Baudricour.⌐ Doch schwerlich
Möcht' er des Feindes Kundschaft* hintergehn,
Der mit zwei Heeren seinen Fersen folgt.

JOHANNA Wo hält der Ritter? Sagt mirs, wenn ihrs wisset.   29

BERTRAND Er steht kaum eine Tagereise weit
Von Vaucouleurs.

THIBAUT *zu Johanna:*
                    Was kümmerts dich! Du fragst
Nach Dingen, Mädchen, die dir nicht geziemen.

BERTRAND Weil nun der Feind so mächtig und kein Schutz
Vom König mehr zu hoffen, haben sie   29
Zu Vaucouleurs einmütig den Beschluß
Gefaßt, sich dem Burgund zu übergeben.
⌐So tragen wir nicht fremdes Joch⌐ und bleiben
Beim alten Königsstamme – ja vielleicht
Zur alten Krone fallen wir zurück,   30
Wenn einst Burgund und Frankreich sich versöhnen.

JOHANNA *in Begeisterung:*
Nichts von Verträgen! Nichts von Übergabe!

Der Retter naht, er rüstet sich zum Kampf.
Vor Orleans soll das Glück des Feindes scheitern,
05 Sein Maß ist voll, er ist zur Ernte reif.
Mit ihrer Sichel wird die Jungfrau kommen,
Und seines Stolzes Saaten niedermähn,
Herab vom Himmel reißt sie seinen Ruhm,
Den er hoch an den Sternen aufgehangen.
0 Verzagt nicht! Fliehet nicht! Denn eh der Rocken*   Roggen
Gelb wird, eh sich die Mondesscheibe füllt,
Wird kein engländisch Roß mehr aus den Wellen
Der prächtig strömenden Loire trinken.

BERTRAND Ach! Es geschehen keine Wunder mehr!

5 JOHANNA Es geschehn noch Wunder – Eine weiße Taube
Wird fliegen und mit Adlerskühnheit diese Geier
Anfallen, die das Vaterland zerreißen.
Darnieder kämpfen wird sie diesen stolzen
Burgund, den Reichsverräter, diesen Talbot
20 Den himmelstürmend hunderthändigen,
Und diesen Salsbury, den ⌈Tempelschänder,⌉
Und diese frechen Inselwohner alle
Wie eine Herde Lämmer vor sich jagen.
Der Herr wird mit ihr sein, der Schlachten Gott.
25 Sein zitterndes Geschöpf wird er erwählen,
Durch eine zarte Jungfrau wird er sich
Verherrlichen, denn er ist der Allmächt'ge!

THIBAUT Was für ein Geist ergreift die Dirn?

RAIMOND   Es ist
Der Helm, der sie so kriegerisch beseelt.
30 Seht eure Tochter an. Ihr Auge blitzt,
Und glühend Feuer sprühen ihre Wangen!

JOHANNA Dieser alte Thron soll fallen? Dieses Land
Des Ruhms, das schönste, das die ew'ge Sonne sieht
In ihrem Lauf, das Paradies der Länder,
35 Das Gott liebt, wie ⌈den Apfel seines Auges,⌉
Die Fesseln tragen eines fremden Volks!

– ⌜Hier scheiterte der Heiden Macht.⌝ Hier war

aufgestellt Das erste Kreuz, das Gnadenbild erhöht*,
Hier ruht der Staub ⌜des heil'gen Ludewig⌝,
⌜Von hier aus ward Jerusalem erobert⌝. 34

BERTRAND *erstaunt:*
Hört ihre Rede! Woher schöpfte sie
Die hohe Offenbarung – Vater Arc!
Euch gab Gott eine wundervolle Tochter!

JOHANNA Wir sollen keine eignen Könige
Mehr haben, keinen eingebornen Herrn – 34
⌜Der König, der nie stirbt⌝, soll aus der Welt
Verschwinden – der ⌜den heil'gen Pflug⌝ beschützt,
Der die Trift beschützt und fruchtbar macht die Erde,
Der ⌜die Leibeignen in die Freiheit führt⌝,
Der die Städte freudig stellt um seinen Thron – 3
Der dem Schwachen beisteht und den Bösen schreckt,
Der den Neid nicht kennet, denn er ist der Größte,
Der ein Mensch ist und ein Engel der Erbarmung
Auf der feindsel'gen Erde. – Denn der Thron
Der Könige, der von Golde schimmert, ist 35
Das Obdach der Verlassenen – hier steht
Die Macht und die Barmherzigkeit – es zittert
Der Schuldige, vertrauend naht sich der Gerechte,
Und scherzet mit den ⌜Löwen um den Thron!⌝
Der fremde König, der von außen kommt, 34
Dem keines Ahnherrn heilige Gebeine
In diesem Lande ruhn, kann er es lieben?
Der nicht jung war mit unsern Jünglingen,
Dem unsre Worte nicht zum Herzen tönen,
Kann er ein Vater sein zu seinen Söhnen? 36

THIBAUT Gott schütze Frankreich und den König. – Wir
Sind friedliche Landleute, wissen nicht
Das Schwert zu führen, noch das kriegerische Roß

kunstvoll im
Kreis reiten
zu lassen Zu tummeln*. – Laßt uns still gehorchend harren,
Wen uns der Sieg zum König geben wird. 3

Das Glück der Schlachten ist das Urteil Gottes,
Und unser Herr ist, wer ⌐die heil'ge Ölung
Empfängt zu Rheims⌐ in unsrer lieben Frauen
Und sich die Kron' aufsetzt zu ⌐Saint Denis⌐.
– Kommt an die Arbeit! Kommt! Und denke jeder
Nur an das Nächste! Lassen wir die Großen,
Der Erde Fürsten um die Erde losen,
Wir können ruhig die Zerstörung schauen,
Denn sturmfest steht der Boden, den wir bauen.
Die Flamme brenne unsre Dörfer nieder,
Die Saat zerstampfe ihrer Rosse Tritt,
Der neue Lenz bringt neue Saaten mit,
Und schnell erstehn die leichten Hütten wieder!
Alle außer der Jungfrau gehen ab

⟨*Vierter Auftritt*⟩

Johanna allein:
Lebt wohl ihr Berge, ihr geliebten Triften,
Ihr traulich stillen Täler lebet wohl!
Johanna wird nun nicht mehr auf euch wandeln,
Johanna sagt euch ewig Lebewohl.
Ihr Wiesen, die ich wässerte! Ihr Bäume,
Die ich gepflanzet, grünet fröhlich fort!
Lebt wohl ihr Grotten und ihr kühlen Brunnen!
Du Echo, holde* Stimme dieses Tals,   angenehme,
Die oft mir Antwort gab auf meine Lieder,
Johanna geht und nimmer kehrt sie wieder!

Ihr Plätze alle meiner stillen Freuden
Euch laß ich hinter mir auf immerdar!
Zerstreuet euch ihr Lämmer auf der Heiden,
Ihr seid jetzt eine hirtenlose Schar,
Denn eine andre Herde muß ich weiden,

Dort auf dem blut'gen Felde der Gefahr,
So ist des Geistes Ruf an mich ergangen,

Mich treibt nicht eitles*, irdisches Verlangen. 4

⌐Denn der zu Mosen auf des Horebs Höhen
Im feur'gen Busch sich flammend niederließ,
Und ihm befahl, vor Pharao zu stehen⌐,
Der einst den frommen ⌐Knaben Isai's⌐,
Den Hirten, sich zum Streiter ausersehen, 4
Der stets den Hirten gnädig sich bewies,
Er sprach zu mir aus dieses Baumes Zweigen:

»Geh hin! Du sollst auf Erden für mich zeugen*.

In rauhes Erz sollst du die Glieder schnüren,
Mit Stahl bedecken deine zarte Brust, 4
Nicht Männerliebe darf dein Herz berühren
Mit sünd'gen Flammen eitler Erdenlust,
Nie wird der Brautkranz deine Locke zieren,
Dir blüht kein lieblich Kind an deiner Brust,
Doch werd'ich dich mit kriegerischen Ehren, 4
Vor allen Erdenfrauen dich verklären.

Denn wenn im Kampf die Mutigsten verzagen,
Wenn Frankreichs letztes Schicksal nun sich naht,
Dann wirst du meine ⌐Oriflamme⌐ tragen
Und wie die rasche Schnitterin die Saat, 4
Den stolzen Überwinder niederschlagen,
Umwälzen wirst du seines Glückes Rad,
Errettung bringen Frankreichs Heldensöhnen,
Und Rheims befrein und deinen König krönen!«

Ein Zeichen hat der Himmel mir verheißen, 4
Er sendet mir den Helm, er kommt von ihm,
Mit Götterkraft berühret mich sein Eisen,
Und mich durchflammt der Mut der Cherubim*,

In's Kriegsgewühl hinein will es mich reißen,
30   Es treibt mich fort mit Sturmes Ungestüm,
Den Heldruf hör' ich mächtig zu mir dringen,
Das Schlachtroß steigt und die Trompeten klingen.
sie geht ab.

Erster Aufzug

Hoflager König Karls zu Chinon

⟨*Erster Auftritt*⟩

Dünois und Dü Chatel, treten auf.

DÜNOIS Nein, ich ertrag' es länger nicht. Ich sage
Mich los von diesem König, der unrühmlich
Sich selbst verläßt. Mir blutet in der Brust   43
Das tapfre Herz und glüh'nde Tränen möcht' ich weinen,
Daß Räuber in das königliche Frankreich
Sich teilen mit dem Schwert, die edeln Städte,
Die mit der Monarchie gealtert sind,
Dem Feind die rost'gen Schlüssel* überliefern,   44
Indes wir hier in tatenloser Ruh
Die köstlich edle Rettungszeit verschwenden.
– Ich höre Orleans bedroht, ich fliege
Herbei aus der entlegnen ⌈Normandie⌉,
Den König denk' ich kriegerisch gerüstet   44
An seines Heeres Spitze schon zu finden,
Und find' ihn – hier! umringt von Gaukelspielern
Und Troubadours*, spitzfind'ge Rätsel lösend
Und der Sorel galante Feste gebend,
Als waltete im Reich der tiefste Friede!   45
– Der Connetable* geht, er kann den Greul
Nicht länger ansehn. – Ich verlaß ihn auch,
Und übergeb' ihn seinem bösen Schicksal.
DÜ CHATEL Da kommt der König!

⟨*Zweiter Auftritt*⟩

König Karl zu den Vorigen.

KARL Der Connetable schickt sein Schwert zurück,
Und sagt den Dienst mir auf. – In Gottes Namen!
So sind wir eines mürr'schen Mannes los,
Der unverträglich uns nur meistern* wollte.   belehren

DÜNOIS Ein Mann ist viel wert in so teurer Zeit,
Ich möcht' ihn nicht mit leichtem Sinn verlieren.

KARL Das sagst du nur aus Lust des Widerspruchs,
So lang er da war, warst du nie sein Freund.

DÜNOIS Er war ein stolz verdrießlich schwerer Narr,
Und wußte nie zu enden – diesmal aber
Weiß er's. Er weiß zu rechter Zeit zu gehn,
Wo keine Ehre mehr zu holen ist.

KARL Du bist in deiner angenehmen Laune,
Ich will dich nicht drin stören. – Dü Chatel!
Es sind Gesandte da vom alten König
⌐René⌐*, belobte Meister im Gesang,
Und weit berühmt. – Man muß sie wohl bewirten,
Und jedem eine goldne Kette reichen.
zum Bastard
Worüber lachst du?

DÜNOIS   Daß du goldne Ketten
Aus deinem Munde schüttelst.

DÜ CHATEL   Sire*! Es ist   Majestät
Kein Geld in deinem Schatze mehr vorhanden.   (Anrede an
                                                               die franz.
KARL So schaffe welches. – Edle Sänger dürfen   Könige;
                                                               franz. »Sei-
                                                               gneur«:
                                                               Herr)

---

* René der Gute Graf von Provence, aus dem Hause Anjou; sein Vater
und Bruder waren Könige von Neapel, und er selbst machte nach
seines Bruders Tod Anspruch auf dieses Reich, scheiterte aber in
der Unternehmung. Er suchte die alte Provençalische Poesie, und
die Cour d'Amour wieder herzustellen, und setzte einen Prince
d'Amour ein, als höchster Richter in Sachen der Galanterie und
Liebe⟨.⟩ In semselben romantischem Geist machte er sich mit seiner
Gemahlin zum Schäfer.

Nicht ungeehrt von meinem Hofe ziehn.
Sie machen uns den dürren Zepter blühn,
Sie flechten den unsterblich grünen Zweig
Des Lebens in die unfruchtbare Krone,   40
Sie stellen herrschend sich den Herrschern gleich,
Aus leichten Wünschen bauen sie sich Throne,
Und nicht im Raume liegt ihr harmlos Reich,
Drum soll der Sänger mit dem König gehen,
Sie beide wohnen auf der Menschheit Höhen!   45

DÜ CHATEL Mein königlicher Herr! Ich hab' dein Ohr
Verschont, so lang noch Rat und Hülfe war,

Bedürfnis Doch endlich löst die Notdurft* mir die Zunge.
– Du hast nichts mehr zu schenken, ach! du hast
Nicht mehr, wovon du morgen könntest leben!   45
Die hohe Flut des Reichtums ist zerflossen,
Und tiefe Ebbe ist in deinem Schatz.
Den Truppen ist der Sold noch nicht bezahlt,
Sie drohen murrend abzuziehn. – Kaum weiß
Ich Rat, dein eignes königliches Haus   45
Notdürftig nur, nicht fürstlich, zu erhalten.

KARL Verpfände meine königlichen Zölle,
Und laß dir Geld darleihn von den ⌈Lombarden⌉.

DÜ CHATEL Sire, deine Kroneinkünfte, deine Zölle
Sind auf drei Jahre schon voraus verpfändet.   50

DÜNOIS Und unterdes geht Pfand und Land verloren.

KARL Uns bleiben noch viel reiche schöne Länder.

DÜNOIS So lang es Gott gefällt und Talbots Schwert!
Wenn Orleans genommen ist, magst du
Mit deinem König René Schafe hüten.   50

KARL Stets übst du deinen Witz an diesem König,
Doch ist es dieser länderlose Fürst,
Der eben heut mich königlich beschenkte.

DÜNOIS Nur nicht mit seiner Krone von Neapel,
verkäuflich Um Gottes willen nicht! Denn die ist feil*,   5
Hab' ich gehört, seitdem er Schafe weidet.

KARL Das ist ein Scherz, ein heitres Spiel, ein Fest,
Das er sich selbst und seinem Herzen gibt,
Sich eine schuldlos reine Welt zu gründen,
5 In dieser rauh barbar'schen Wirklichkeit.
Doch was er großes, königliches will –
Er will die alten Zeiten wieder bringen,
Wo zarte ⌈Minne⌉ herrschte, wo die Liebe
Der Ritter große Heldenherzen hob,
10 Und edle Frauen zu Gerichte saßen,
Mit zartem Sinne alles Feine schlichtend.
In jenen Zeiten wohnt der heitre Greis,
Und wie sie noch in alten Liedern leben,
So will er sie, wie eine Himmelstadt
15 In goldnen Wolken, auf die Erde setzen –
Gegründet hat er einen ⌈Liebeshof⌉,
Wohin die edlen Ritter sollen wallen*,   ziehen,
Wo keusche Frauen herrlich sollen thronen,   gehen
Wo reine Minne wiederkehren soll,
20 Und mich hat er erwählt zum Fürst der Liebe.
DÜNOIS *nach einigem Stillschweigen:*
Ich bin so sehr nicht aus der Art geschlagen,
Daß ich der Liebe Herrschaft sollte schmähn.
Ich nenne mich nach ihr, ⌈ich bin ihr Sohn⌉,
Und all mein Erbe liegt in ihrem Reich.
25 Mein Vater war der Prinz von Orleans,
Ihm war kein weiblich Herz unüberwindlich,
Doch auch kein feindlich Schloß war ihm zu fest.
Willst du der Liebe Fürst dich würdig nennen,
So sei der Tapfern Tapferster! – Wie i c h
30 Aus jenen alten Büchern mir gelesen,
War Liebe stets mit hoher Rittertat
Gepaart und Helden, hat man mich gelehrt,
Nicht Schäfer saßen an der Tafelrunde*.   Tafelrunde
Wer nicht die Schönheit tapfer kann beschützen,   des Königs
35 Verdient nicht ihren goldnen Preis. – Hier ist   Artus aus
                                                         der kelt.
                                                         Sage

Der Fechtplatz! Kämpf' um deiner Väter Krone!
Verteidige mit ritterlichem Schwert
Dein Eigentum und edler Frauen Ehre –
Und hast du dir aus Strömen Feindesbluts
Die angestammte Krone kühn erobert,   5
Dann ist es Zeit und steht dir fürstlich an,
Dich mit der Liebe Myrten* zu bekrönen.

*Der Myrten-
kranz ist ein
Braut-
schmuck.*

KARL *zu einem Edelknecht der hereintritt:*
Was gibt's?

EDELKNECHT
              Ratsherrn von Orleans flehn um Gehör.

KARL Führ sie herein.
      Edelknecht geht ab.

*fordern (al-
tertüml.)*

                              Sie werden Hülfe fodern*,
Was kann ich tun, der selber hülflos ist!   5

⟨Dritter Auftritt⟩

Drei Ratsherren treten auf.

KARL Willkommen meine vielgetreuen Bürger
    Aus Orleans! Wie steht's um meine gute Stadt?
    Fährt sie noch fort mit dem gewohnten Mut
    Dem Feind zu widerstehn, der sie belagert?

RATSHERR Ach Sire! Es drängt die höchste Not, und   5
                              stündlich wachsend
    Schwillt das Verderben an die Stadt heran.
    Die äußern Werke sind zerstört, der Feind
    Gewinnt mit jedem Sturme neuen Boden.
    Entblößt sind von Verteidigern die Mauern,

*greift die
Truppe an*

    Denn rastlos fechtend fällt die Mannschaft aus*, 5
    Doch wen'ge sehn die Heimatpforte wieder,
    Und auch des Hungers Plage droht der Stadt.
    Drum hat der edle ⌈Graf von Rochepierre⌉,
    Der drin befiehlt, in dieser höchsten Not

Vertragen mit dem Feind*, nach altem Brauch,
Sich zu ergeben auf den zwölften Tag,
Wenn binnen dieser Zeit kein Heer im Feld
Erschien, zahlreich genug ein Treffen* anzubieten.
Dünois macht eine heftige Bewegung des Zorns.

KARL Die Frist ist kurz.

RATSHERR   Und jetzo sind wir hier
Mit Feinds Geleit, daß wir dein fürstlich Herz
Anflehen, deiner Stadt dich zu erbarmen,
Und Hülf' zu senden binnen dieser Frist,
Sonst übergibt er sie am zwölften Tage.

DÜNOIS Saintrailles konnte seine Stimme geben
Zu solchem schimpflichen Vertrag!

RATSHERR   Nein, Herr!
Solang der Tapfre lebte, durfte nie
Die Rede sein von Fried' und Übergabe.

DÜNOIS So ist er tot!

RATSHERR   An unsern Mauern sank
Der edle Held für seines Königs Sache.

KARL Saintrailles tot! O in dem einz'gen Mann
Sinkt mir ein Heer!
*Ein Ritter kommt und spricht einige Worte leise mit dem
Bastard, welcher betroffen auffährt.*

DÜNOIS   Auch das noch!

KARL   Nun! Was gibt's?

DÜNOIS Graf Douglas sendet her. Die schott'schen Völker*
Empören sich und drohen abzuziehn,
Wenn sie nicht heut den Rückstand noch erhalten.

KARL Dü Chatel!

DÜ CHATEL *zuckt die Achseln:*
                Sire! Ich weiß nicht Rat.

KARL   Versprich,
Verpfände was du hast, mein halbes Reich –

DÜ CHATEL Hilft nichts! Sie sind zu oft vertröstet worden!

KARL Es sind die besten Truppen meines Heers!
Sie sollen mich jetzt nicht, nicht jetzt verlassen!

Einen Ver-
trag mit dem
Feind abge-
schlossen

Kampf,
Schlacht

die schott.
Truppen

RATSHERR *mit einem Fußfall:*
  O König, hilf uns! Unsrer Not gedenke!   55
KARL *verzweiflungsvoll:*
  Kann ich Armeen aus der Erde stampfen?
  Wächst mir ein Kornfeld in der flachen Hand?
  Reißt mich in Stücken, reißt das Herz mir aus,
  Und münzet es statt Goldes! Blut hab' ich
  Für euch, nicht Silber hab' ich, noch Soldaten!   60
  er sieht die Sorel hereintreten, und eilt ihr mit ausgebrei-
  teten Armen entgegen.

⟨*Vierter Auftritt*⟩

Agnes Sorel ein Kästchen in der Hand.
KARL O meine Agnes! Mein geliebtes Leben!
  Du kommst, mich der Verzweiflung zu entreißen!
  Ich habe dich, ich flieh an deine Brust,
  Nichts ist verloren, denn du bist noch mein.
SOREL Mein teurer König!   65
  mit ängstlich fragendem Blick umher schauend
                          Dünois! Ist's wahr?
  Dü Chatel?
DÜ CHATEL Leider!
SOREL   Ist die Not so groß?
  Es fehlt am Sold? Die Truppen wollen abziehn?
DÜ CHATEL Ja leider ist es so!
SOREL *ihm das Kästchen aufdringend:*
                          ⌜Hier, hier ist Gold –
  Hier sind Juwelen – Schmelzt mein Silber ein –
  Verkauft, verpfändet meine Schlösser – Leihet   66
  Auf meine Güter in Provence – Macht alles
  Zu Gelde und befriediget die Truppen.⌝
  Fort! Keine Zeit verloren!
  treibt ihn fort.

KARL Nun Dünois? Nun Dü Chatel! Bin ich euch
15   Noch arm, da ich die Krone aller Frauen
     Besitze⟨?⟩ – ⌐Sie ist edel¬, wie ich selbst
     Geboren, selbst das königliche Blut
     Der Valois* ist nicht reiner, zieren würde sie   Franz.
     Den ersten Thron der Welt – doch sie verschmäht ihn,   Herrscher-
20   Nur meine Liebe will sie sein und heißen.   geschlecht
     Erlaubte sie mir jemals ein Geschenk
     Von höherm Wert, als eine frühe Blume
     Im Winter oder seltne Frucht! Von mir,
     Nimmt sie kein Opfer an, und bringt mir alle!
25   Wagt ihren ganzen Reichtum und Besitz
     Großmütig an mein untersinkend Glück.
   DÜNOIS Ja sie ist eine Rasende wie du,
     Und wirft ihr Alles in ein brennend Haus,
     Und ⌐schöpft ins lecke Faß der Danaiden¬.
30   Dich wird sie nicht erretten, nur sich selbst
     Wird sie mit dir verderben –
   SOREL   Glaub' ihm nicht.
     Er hat sein Leben zehenmal für dich
     Gewagt und zürnt daß ich mein Gold jetzt wage.
     Wie? Hab' ich dir nicht alles froh geopfert,
35   Was mehr geachtet wird als Gold und Perlen,
     Und sollte jetzt mein Glück für mich behalten?
     Komm! Laß uns allen überflüß'gen Schmuck
     Des Lebens von uns werfen! Laß mich dir
     Ein edles Beispiel der Entsagung geben!
40   Verwandle deinen Hofstaat in Soldaten,
     Dein Gold in Eisen, alles was du hast,
     Wirf es entschlossen hin nach deiner Krone!
     Komm! Komm! Wir teilen Mangel und Gefahr!
     Das kriegerische Roß laß uns besteigen,
45   Den zarten Leib dem glüh'nden Pfeil der Sonne
     Preis geben, die Gewölke über uns
     Zur Decke nehmen, und den Stein zum Pfühl*.   Kissen

Der rauhe Krieger wird sein eignes Weh
Geduldig tragen, sieht er seinen König
Dem Ärmsten gleich ausdauren und entbehren!   6⁵

KARL *lächelnd:*
Ja, nun erfüllt sich mir ein altes Wort
Der ⌈Weissagung, das eine Nonne mir
Zu Klermont im prophet'schen Geiste sprach⌉.
Ein Weib, verhieß die Nonne, würde mich
Zum Sieger machen über alle Feinde,   6⁵
Und meiner Väter Krone mir erkämpfen.
Fern sucht' ich sie im Feindeslager auf,
Das Herz der Mutter hofft' ich zu versöhnen,
Hier steht die Heldin, die nach Rheims mich führt,
Durch meiner Agnes Liebe werd' ich siegen!   6⦁

SOREL Du wirst's durch deiner Feinde tapfres Schwert.

KARL Auch von der Feinde Zwietracht hoff' ich viel –
Denn mir ist sichre Kunde zugekommen,
Daß zwischen diesen stolzen Lords von England
Und meinem Vetter von Burgund nicht alles mehr   6⦁
So steht wie sonst – Drum hab' ich den La Hire
Mit Botschaft an den Herzog abgefertigt,
Ob mir's gelänge, den erzürnten Pair
Zur alten Pflicht und Treu zurückzuführen –
Mit jeder Stunde wart' ich seiner Ankunft.   6⦁

DÜ CHATEL *am Fenster:*
Der Ritter sprengt so eben in den Hof.

KARL Willkommner Bote! Nun so werden wir
Bald wissen, ob wir weichen oder siegen.

⟨*Fünfter Auftritt*⟩

La Hire tritt ein.
KARL *geht ihm entgegen:*
  La Hire! Bringst du uns Hoffnung oder keine?
75 Erklär' dich kurz. Was hab' ich zu erwarten?
  LA HIRE Erwarte nichts mehr als von deinem Schwert.
  KARL Der stolze Herzog läßt sich nicht versöhnen!
  O sprich! Wie nahm er meine Botschaft auf?
  LA HIRE Vor allen Dingen und bevor er noch
80 Ein Ohr dir könne leihen, fodert er,
  Daß ihm Dü Chatel ausgeliefert werde,
  Den er ⌈den Mörder seines Vaters⌉ nennt.
  KARL Und, weigern wir uns dieser Schmachbedingung?
  LA HIRE Dann sei der Bund zertrennt, noch eh' er anfing.
85 KARL Hast du ihn drauf wie ich dir anbefahl,
  Zum Kampf mit mir gefodert auf der Brücke
  Zu Montereau, allwo sein Vater fiel?

Eine Auffor-
derung zum
Zweikampf

  LA HIRE Ich warf ihm deinen Handschuh hin* und sprach:
  Du wolltest deiner Hoheit dich begeben*,

dich würdig
erweisen

90 Und als ein Ritter kämpfen um dein Reich.
  Doch er versetzte: nimmer täts ihm Not,
  Um das zu fechten, was er schon besitze.
  Doch wenn dich so nach Kämpfen lüstete,
  So würdest du vor Orleans ihn finden,
95 Wohin er morgen willens sei zu gehn;
  Und damit kehrt' er lachend mir den Rücken.
  KARL Erhob sich nicht in meinem Parlamente*

obersten
Gerichtshof

  Die reine Stimme der Gerechtigkeit?
  LA HIRE Sie ist verstummt vor der Parteien Wut.
100 Ein Schluß* des Parlaments erklärte dich

Beschluss

  Des Throns ⌈verlustig⌉, dich und deinen Samen*!

Nachkom-
men

  DÜNOIS Ha frecher Stolz des Herrgewordnen Bürgers!
  KARL Hast du bei meiner Mutter nichts versucht?
  LA HIRE Bei deiner Mutter!

KARL   Ja! Wie ließ sie sich vernehmen?
LA HIRE *nachdem er einige Augenblicke sich bedacht:*
Es war gerad das Fest der Königskrönung,   7|
Als ich zu Saint Denis eintrat. Geschmückt
Wie zum Triumphe waren die Pariser,
In jeder Gasse stiegen Ehrenbogen,
Durch die der engelländsche König zog.
Bestreut mit Blumen war der Weg und jauchzend,   7|
Als hätte Frankreich seinen schönsten Sieg
Erfochten, sprang der Pöbel um den Wagen.
SOREL Sie jauchzten – jauchzten, daß sie auf das Herz
Des liebevollen sanften Königs traten!
LA HIRE Ich sah den jungen ⌈Harry Lancaster,⌉   7|
Den Knaben, auf dem königlichen Stuhl
Sankt Ludwigs sitzen, seine stolzen Öhme*
⌈Bedford und Gloster⌉ standen neben ihm,
Und Herzog Philipp kniet' am Throne nieder
Und leistete den Eid für seine Länder.   7|
KARL O ehrvergeßner Pair! Unwürd'ger Vetter!
LA HIRE Das Kind war bang und strauchelte, da es
Die hohen Stufen an dem Thron hinan stieg.
Ein böses Omen! murmelte das Volk,
Und es erhub sich schallendes Gelächter.   7|
Da trat die alte Königin, deine Mutter
Hinzu, und – mich entrüstet es zu sagen!
KARL Nun?
LA HIRE   In die Arme faßte sie den Knaben,
Und setzt' ihn selbst auf deines Vaters Stuhl.
KARL O Mutter! Mutter!   7|
LA HIRE   Selbst die wütenden
Burgundier, die mordgewohnten Banden,
Erglüheten vor Scham bei diesem Anblick.
Sie nahm es wahr und an das Volk gewendet
Rief sie mit lauter Stimm': Dankt mir's Franzosen,
Daß ich den kranken Stamm mit reinem Zweig   7|

Onkel
(Mehrzahl
von Ohm)

Veredle, euch bewahre vor dem miß-
Gebornen Sohn des ⌐Hirnverrückten Vaters⌐!

Der König verhüllt sich, Agnes eilt auf ihn zu und schließt
ihn in ihre Arme, alle Umstehenden drücken ihren Ab-
scheu, ihr Entsetzen aus.

DÜNOIS Die Wölfin! die wutschnaubende ⌐Megäre⌐!

KARL *nach einer Pause zu den Ratsherren:*
Ihr habt gehört, wie hier die Sachen stehn.
Verweilt nicht länger, geht nach Orleans
Zurück, und meldet meiner treuen Stadt:
Des Eides gegen mich entlaß* ich sie.   entbinde
Sie mag ihr Heil beherzigen und sich
Der Gnade des Burgundiers ergeben,
Er heißt der gute, er wird menschlich sein.

DÜNOIS Wie Sire? Du wolltest Orleans verlassen*!   aufgeben

RATSHERR *kniet nieder:*
Mein königlicher Herr! Zieh deine Hand
Nicht von uns ab! Gib deine treue Stadt
Nicht unter Englands harte Herrschaft hin.
Sie ist ein edler Stein in deiner Krone,
Und keine hat den Königen, deinen Ahnherrn,
Die Treue heiliger bewahrt.

DÜNOIS   Sind wir
Geschlagen? Ist's erlaubt, das Feld zu räumen,
Eh noch ein Schwertstreich um die Stadt geschehn?
Mit einem leichten Wörtlein, ehe Blut
Geflossen ist, denkst du die beste Stadt
Aus Frankreichs Herzen weg zu geben?

KARL   Gnug
Des Blutes ist geflossen und vergebens!
Des Himmels schwere Hand ist gegen mich,
Geschlagen wird mein Heer in allen Schlachten,
Mein Parlament verwirft mich, meine Hauptstadt,
Mein Volk nimmt meinen Gegner jauchzend auf,
Die mir die nächsten sind am Blut, verlassen

Verraten mich – Die eigne Mutter nährt
Die fremde Feindesbrut an ihren Brüsten. 7

auf das
südl. Ufer

– Wir wollen jenseits der Loire* uns ziehn,
Und der gewalt'gen Hand des Himmels weichen,
Der mit dem Engelländer ist.

SOREL Das wolle Gott nicht, daß wir, an uns selbst
Verzweifelnd, diesem Reich den Rücken wenden! 7
Dies Wort kam nicht aus deiner tapfern Brust.
Der Mutter unnatürlich rohe Tat
Hat meines Königs Heldenherz gebrochen!
Du wirst dich wieder finden, männlich fassen,
Mit edelm Mut dem Schicksal widerstehen, 7
Das grimmig dir entgegen kämpft.

KARL *in düstres Sinnen verloren:* Ist es nicht wahr?
Ein finster furchtbares Verhängnis waltet
Durch Valois Geschlecht, es ist verworfen
Von Gott, der Mutter Lastertaten führten
Die ⌐Furien⌐ herein in dieses Haus, 7
Mein Vater lag im Wahnsinn zwanzig Jahre,
Drei ältre Brüder hat der Tod vor mir
Hinweggemäht, es ist des Himmels Schluß,
Das Haus des sechsten Karls soll untergehn.

SOREL In dir wird es sich neu verjüngt erheben! 7
Hab Glauben an dich selbst. – O! nicht umsonst
Hat dich ein gnädig Schicksal aufgespart
Von deinen Brüdern allen, dich den jüngsten
Gerufen auf den ungehofften Thron.
In deiner sanften Seele hat der Himmel 7
Den Arzt für alle Wunden sich bereitet,
Die ⌐der Parteien Wut⌐ dem Lande schlug.
Des Bürgerkrieges Flammen wirst du löschen,
Mir sagt's das Herz, den Frieden wirst du pflanzen,
Des Frankenreiches neuer Stifter sein. 7

KARL Nicht ich. Die rauhe sturmbewegte Zeit

fordert

Heischt* einem kraftbegabtern Steuermann.

Erster Aufzug

Ich hätt' ein friedlich Volk beglücken können,
Ein wild empörtes kann ich nicht bezähmen,
Nicht mir die Herzen öffnen mit dem Schwert,
Die sich entfremdet mir in Haß verschließen.

SOREL Verblendet ist das Volk, ein Wahn betäubt es,
Doch dieser Taumel wird vorübergehn,
Erwachen wird, nicht fern mehr ist der Tag,
Die Liebe zu dem angestammten König,
Die tief gepflanzt ist in des Franken Brust,
Der alte Haß, die Eifersucht erwachen,
Die beide Völker ewig feindlich trennt;
Den stolzen Sieger stürzt sein eignes Glück
Darum verlasse nicht mit Übereilung
Den Kampfplatz, ring' um jeden Fußbreit Erde,
Wie deine eigne Brust verteidige
Dies Orleans! Laß alle Fähren lieber
Versenken, alle Brücken niederbrennen,
Die über diese Scheide deines Reichs
⌜Das styg'sche Wasser⌝ der Loire dich führen.

KARL Was ich vermocht, hab' ich getan. Ich habe
Mich dargestellt zum ritterlichen Kampf
Um meine Krone. – Man verweigert ihn.
Umsonst verschwend' ich meines Volkes Leben,
Und meine Städte sinken in den Staub.
⌜Soll ich gleich jener unnatürlichen Mutter
Mein Kind zerteilen lassen mit dem Schwert?⌝
Nein, daß es lebe, will ich ihm entsagen.

DÜNOIS Wie Sire? Ist das die Sprache eines Königs?
Gibt man so eine Krone auf? Es setzt
Der schlechtste deines Volkes Gut und Blut
An seine Meinung, seinen Haß und Liebe,
Partei wird alles*, wenn das blut'ge Zeichen
Des Bürgerkrieges ausgehangen ist.
Der Ackersmann verläßt den Pflug, das Weib
Den ⌜Rocken⌝, Kinder, Greise waffnen sich,

jeder ergreift Partei

Der Bürger zündet seine Stadt, der Landmann
Mit eignen Händen seine Saaten an,
Um dir zu schaden oder wohl zu tun   83
Und seines Herzens Wollen zu behaupten.
Nichts schont er selber und erwartet sich
Nicht Schonung, wenn die Ehre ruft, wenn er
Für seine Götter oder Götzen kämpft.
Drum weg mit diesem weichlichen Mitleiden,   84
Das einer Königsbrust nicht ziemt. – Laß du
Den Krieg ausrasen, wie er angefangen,
Du hast ihn nicht leichtsinnig selbst entflammt.
Für seinen König muß das Volk sich opfern,
Das ist das Schicksal und Gesetz der Welt.   84
Der Franke weiß es nicht und will's nicht anders
Nichtswürdig ist die Nation, die nicht
Ihr Alles freudig setzt an ihre Ehre.

KARL *zu den Ratsherren:*

Erwartet keinen anderen Bescheid.
Gott schütz euch. Ich kann nicht mehr.   85

DÜNOIS   Nun so kehre

Der Siegesgott auf ewig dir den Rücken,
Wie du dem väterlichen Reich. Du hast
Dich selbst verlassen, so verlaß ich dich.
Nicht Englands und Burgunds vereinte Macht,
Dich stürzt der eigne Kleinmut von dem Thron.   85
Die Könige Frankreichs sind geborne Helden,
Du aber bist unkriegerisch gezeugt.

zu den Ratsherren.

Der König gibt euch auf. Ich aber will
In Orleans, meines Vaters Stadt, mich werfen,
Und unter ihren Trümmern mich begraben.   86

er will gehen. Agnes Sorel hält ihn auf.

SOREL *zum König:*

O laß ihn nicht im Zorne von dir gehn!
Sein Mund spricht rauhe Worte, doch sein Herz

Ist treu wie Gold, es ist derselbe doch
Der warm dich liebt und oft für dich geblutet.
Kommt Dünois! Gesteht, daß euch die Hitze
Des edeln Zorns zu weit geführt – Du aber
Verzeih dem treuen Freund die heft'ge Rede!
O kommt, kommt! Laßt mich eure Herzen schnell
Vereinigen, eh sich der rasche Zorn
Unlöschbar, der verderbliche, entflammt!
Dünois fixiert den König und scheint eine Antwort zu
erwarten.
KARL *zu Dü Chatel:*
⌐Wir gehen über die Loire.⌐ Laß mein
Gerät* zu Schiffe bringen!   Waffen
DÜNOIS *schnell zur Sorel:* Lebet wohl!
wendet sich schnell und geht, Ratsherren folgen
SOREL *ringt verzweiflungsvoll die Hände:*
O wenn er geht, so sind wir ganz verlassen!
– Folgt ihm, La Hire. O sucht ihn zu begüt'gen*.   beruhigen
La Hire geht ab.

⟨Sechster Auftritt⟩

KARL Ist denn die Krone ein so einzig Gut?
Ist es so bitter schwer, davon zu scheiden?
Ich kenne was noch schwerer sich erträgt.
Von diesen trotzig herrischen Gemütern
Sich meistern lassen, von der Gnade leben
Hochsinnig* eigenwilliger Vasallen,   hochmütig,
Das ist das harte für ein edles Herz,   arrogant
Und bittrer als dem Schicksal unterliegen!
zu Dü Chatel, der noch zaudert.
Tu was ich dir befohlen!
DÜ CHATEL *wirft sich zu seinen Füßen:*
                              O mein König!

KARL Es ist beschlossen. Keine Worte weiter!

DÜ CHATEL ⌈Mach Frieden mit dem Herzog von Burgund⌉, 8
Sonst seh ich keine Rettung mehr für dich.

KARL Du rätst mir dieses, und dein Blut ist es
Womit ich diesen Frieden soll versiegeln?

DÜ CHATEL Hier ist mein Haupt. Ich hab' es oft für dich
Gewagt in Schlachten und ich leg' es jetzt 8
Für dich mit Freuden auf das Blutgerüste*.
Befriedige den Herzog. Überliefre mich
Der ganzen Strenge seines Zorns und laß
Mein fließend Blut den alten Haß versöhnen!

KARL *blickt ihn eine Zeitlang gerührt und schweigend an:*
Ist es denn wahr? Steht es so schlimm mit mir, 8
Daß meine Freunde, die mein Herz durchschauen,
Den Weg der Schande mir zur Rettung zeigen?
Ja, jetzt erkenn' ich meinen tiefen Fall,
Denn das Vertrau'n ist hin auf meine Ehre.

DÜ CHATEL
Bedenk' – 9

KARL   Kein Wort mehr! Bringe mich nicht auf!
Müßt' ich zehn Reiche mit dem Rücken schauen,
Ich rette mich nicht mit des Freundes Leben.
– Tu was ich dir befohlen. Geh und laß
Mein Heergerät einschiffen.

DÜ CHATEL   Es wird schnell
Getan sein. 9
steht auf und geht, Agnes Sorel weint heftig.

Schafott,
Podest für
Hinrichtun-
gen

KARL *ihre Hand fassend:*
        Sei nicht traurig meine Agnes.
Auch jenseits der Loire liegt noch ein Frankreich,
Wir gehen in ein glücklicheres Land.
Da lacht ein milder nie bewölkter Himmel
Und leichtre Lüfte wehn, und sanftre Sitten
10 Empfangen uns, da wohnen die Gesänge
Und schöner blüht das Leben und die Liebe.
SOREL O muß ich diesen Tag des Jammers schauen!
Der König muß in die Verbannung gehn,
Der Sohn auswandern aus des Vaters Hause
15 Und seine Wiege mit dem Rücken schauen.
O angenehmes Land das wir verlassen,
Nie werden wir dich freudig mehr betreten.

⟨Achter Auftritt⟩

La Hire kommt zurück.
SOREL Ihr kommt allein. Ihr bringt ihn nicht zurück?
indem sie ihn näher ansieht.
La Hire! Was gibt's? Was sagt mir euer Blick?
20 Ein neues Unglück ist geschehn!
LA HIRE   Das Unglück
Hat sich erschöpft und Sonnenschein ist wieder!
SOREL Was ist's? Ich bitt' euch.
LA HIRE *zum König:*   Ruf die Abgesandten
Von Orleans zurück!
KARL   Warum? Was gibt's?
LA HIRE Ruf sie zurück. Dein Glück hat sich gewendet,
25 Ein Treffen ist geschehn, du hast gesiegt.
SOREL Gesiegt! O himmlische Musik des Wortes!
KARL La Hire! Dich täuscht ein fabelhaft* Gerücht.

                                               unglaubli-
                                               ches, wun-
                                               derbares

Gesiegt! Ich glaub' an keine Siege mehr.

LA HIRE O du wirst bald noch größre Wunder glauben.
– Da kommt der Erzbischof. Er führt den Bastard   93
In deinen Arm zurück –

SOREL   O schöne Blume
Des Siegs, die gleich die edeln Himmelsfrüchte,
Fried' und Versöhnung trägt!

⟨Neunter Auftritt⟩

Erzbischof von Rheims. Dünois. Dü Chatel mit Raoul
einem geharnischten Ritter* treten ein.

ERZBISCHOF *führt den Bastard zu dem König und legt*
ihre Hände in einander: Umarmt euch Prinzen!
Laßt allen Groll und Hader jetzo schwinden,
Da sich der Himmel selbst für uns erklärt.   93
Dünois umarmt den König.

KARL Reißt mich aus meinem Zweifel und Erstaunen.
Was kündigt dieser feierliche Ernst mir an?
Was wirkte diesen schnellen Wechsel?

ERZBISCHOF *führt den Ritter hervor und stellt ihn vor*
den König:
Redet!

RAOUL Wir hatten sechzehn Fähnlein* aufgebracht
Lothringisch Volk, zu deinem Heer zu stoßen,   94
Und Ritter Baudricour aus Vaucouleurs
War unser Führer. Als wir nun die Höhen
Bei Vermanton* erreicht und in das Tal,
Das die Yonne durchströmt, herunter stiegen,
Da stand in weiter Ebene vor uns der Feind,   94
Und Waffen blitzten, da wir rückwärts sahn.
Umrungen* sahn wir uns von beiden Heeren,
Nicht Hoffnung war zu siegen noch zu fliehn,
Da sank dem Tapfersten das Herz und alles,

50 Verzweiflungsvoll, will schon die Waffen strecken.
Als nun die Führer miteinander noch
Rat suchten und nicht fanden – sieh da stellte sich
Ein seltsam Wunder unsern Augen dar!
Denn aus der Tiefe des Gehölzes plötzlich
55 Trat eine Jungfrau, mit behelmtem Haupt
Wie eine Kriegesgöttin, schön zugleich
Und schrecklich anzusehn, um ihren Nacken
In goldnen Ringen fiel das Haar, ein Glanz
Vom Himmel schien die Hohe zu umleuchten,
60 Als sie die Stimm' erhub und also sprach:
Was zagt ihr tapfre Franken! Auf den Feind!
Und wären sein mehr denn des Sands im Meere,
Gott und die heil'ge Jungfrau führt euch an!
Und schnell dem Fahnenträger aus der Hand
65 Riß sie die Fahn' und vor dem Zuge her
Mit kühnem Anstand schritt die Mächtige.
Wir, stumm vor Staunen, selbst nicht wollend, folgen
Der hohen Fahn' und ihrer Trägerin,
Und auf den Feind gerad an stürmen wir.
70 D e r, hochbetroffen, steht bewegungslos
Mit weit geöffnet starrem Blick das Wunder
Anstaunend, das sich seinen Augen zeigt –
Doch schnell als hätten Gottes Schrecken ihn
Ergriffen, wendet er sich um
75 Zur Flucht, und Wehr und Waffen von sich werfend
Entschart das ganze Heer sich* im Gefilde,   verschwin-
                                                          det
Da hilft kein Machtwort, keines Führers Ruf,
Vor Schrecken sinnlos, ohne rückzuschau'n,
Stürzt Mann und Roß sich in des Flusses Bette,
80 Und läßt sich würgen* ohne Widerstand,   töten (bibl.)
Ein Schlachten war's, nicht eine Schlacht zu nennen!
Zweitausend Feinde deckten das Gefild',
Die nicht gerechnet die der Fluß verschlang,
Und von den Unsern ward kein Mann vermißt.

KARL Seltsam bei Gott! höchst wunderbar und seltsam! 98

SOREL Und eine Jungfrau wirkte dieses Wunder?

Wo kam sie her? Wer ist sie?

RAOUL   Wer sie sei,

Will sie allein dem König offenbaren.

Sie nennt sich eine Seherin und Gott-

Gesendete Prophetin, und verspricht 99

Orleans zu retten, eh der Mond noch wechselt*.

noch in diesem Monat

Ihr glaubt das Volk und dürstet nach Gefechten.

Sie folgt dem Heer, gleich wird sie selbst hier sein.

Man hört Glocken und ein Geklirr von Waffen, die aneinander geschlagen werden.

Hört ihr den Auflauf? Das Geläut der Glocken?

Sie ist's, das Volk begrüßt die Gottgesandte. 99

KARL *zu Dü Chatel:*

Führt sie herein –

zum Erzbischof: Was soll ich davon denken!

Ein Mädchen bringt mir Sieg und eben jetzt,

Da nur ein Götterarm mich retten kann!

Das ist nicht in dem Laufe der Natur,

Und darf ich – Bischof, darf ich Wunder glauben? 10

VIELE STIMMEN *hinter der Szene:*

Heil, Heil der Jungfrau, der Erretterin!

KARL Sie kommt!

zu Dünois Nehmt meinen Platz ein, Dünois!

Wir wollen dieses Wundermädchen prüfen,

Ist sie begeistert und von Gott gesandt,

Wird sie den König zu entdecken wissen. 10

Dünois setzt sich, der König steht zu seiner Rechten, neben ihm Agnes Sorel, der Erzbischof mit den übrigen gegen über, daß der mittlere Raum leer bleibt.

⟨Zehnter Auftritt⟩

Johanna begleitet von den Ratsherren und vielen Rittern,
welche den Hintergrund der Szene anfüllen; mit edelm An-
stand tritt sie vorwärts, und schaut die Umstehenden der
Reihe nach an.

DÜNOIS *nach einer tiefen feierlichen Stille:*
⌐Bist du es wunderbares Mädchen –⌐

JOHANNA *unterbricht ihn, mit Klarheit und Hoheit ihn*
anschauend:
Bastard von Orleans! Du willst Gott versuchen!
Steh auf von diesem Platz, der dir nicht ziemt,
An diesen Größeren bin ich gesendet.

Sie geht mit entschiedenem Schritt auf den König zu,
beugt ein Knie vor ihm und steht sogleich wieder auf,
zurücktretend. Alle Anwesenden drücken ihr Erstaunen
aus. Dünois verläßt seinen Sitz und es wird Raum vor
dem König.

10 KARL Du siehst mein Antlitz heut zum erstenmal,
Von wannen kommt dir diese Wissenschaft?

JOHANNA Ich sah dich, wo dich niemand sah als Gott.
wieder Pause.
In jüngst verwichner Nacht, besinne dich!
Als alles um dich her in tiefem Schlaf
15 Begraben lag, da standst du auf von deinem Lager,
Und tatst ein brünstiges Gebet zu Gott.
Laß die hinausgehn und ich nenne dir
Den Inhalt des Gebets.

KARL   Was ich dem Himmel
Vertraut, brauch' ich vor Menschen nicht zu bergen.
20 Entdecke mir den Inhalt meines Flehns,
So zweifl' ich nicht mehr, daß dich Gott begeistert*.   mit seinem
                                                                Geist erfüllt
JOHANNA ⌐Es waren drei Gebete⌐ die du tatst,
Gib wohl acht, Dauphin*, ob ich dir sie nenne!   Kronprinz
Zum ersten flehtest du den Himmel an,   von Frank-
                                                                reich

Wenn unrecht Gut an dieser Krone hafte,

Wenn eine andre schwere Schuld, noch nicht

Gebüßt, von deiner Väter Zeiten her,

Diesen tränenvollen Krieg herbeigerufen,

Dich zum Opfer anzunehmen für dein Volk,

Und auszugießen auf dein einzig Haupt

Die ganze Schale seines Zorns.

KARL *tritt mit Schrecken zurück:*

Wer bist du, mächtig Wesen? Woher kommst du?

Alle zeigen ihr Erstaunen.

JOHANNA Du tatst dem Himmel diese zweite Bitte.

Wenn es sein hoher Schluß und Wille sei,

Das Zepter deinem Stamme zu entwinden,

Dir alles zu entziehn, was deine Väter,

Die Könige in diesem Reich besaßen,

Drei einz'ge Güter flehtest du ihn an

Dir zu bewahren, die zufriedne Brust,

Des Freundes Herz und deiner Agnes Liebe.

König verbirgt das Gesicht heftig weinend, große Bewegung des Erstaunens unter den Anwesenden. Nach einer Pause

Soll ich dein dritt' Gebet dir nun noch nennen?

KARL Genug! Ich glaube dir! So viel vermag

Kein Mensch! Dich hat der höchste Gott gesendet.

ERZBISCHOF Wer bist du heilig wunderbares Mädchen!

Welch glücklich Land gebar dich? Sprich! Wer sind

Die Gottgeliebten Eltern, die dich zeugten?

JOHANNA Ehrwürd'ger Herr, Johanna nennt man mich,

Ich bin nur eines Hirten niedre Tochter

Aus meines Königs Flecken* Dom Remi,

Der in dem Kirchensprengel* liegt von Toul*,

Und hütete die Schafe meines Vaters

Von Kind auf – Und ich hörte viel und oft

Erzählen von dem fremden Inselvolk,

Das über Meer gekommen, uns zu Knechten

Dorf mit einem Markt

Pfarrei, Diözese

Stadt in Lothringen, westl. von Nancy

Heinrich V.
von England

Zu machen, und den fremdgebornen Herrn*
Uns aufzuzwingen, der das Volk nicht liebt,
Und daß sie schon die große Stadt Paris
Inn' hätten und des Reiches sich ermächtigt.
Da rief ich flehend Gottes Mutter an,
Von uns zu wenden fremder Ketten Schmach,
Uns den einheimschen König zu bewahren.
Und vor dem Dorf, wo ich geboren, steht
Ein uralt Muttergottes Bild, zu dem
Der frommen Pilgerfahrten viel geschahn,
Und eine heil'ge Eiche steht darneben,
Durch vieler Wunder Segenskraft berühmt.
Und in der Eiche Schatten saß ich gern,
Die Herde weidend, denn mich zog das Herz.
Und ging ein Lamm mir in den wüsten Bergen
Verloren, immer zeigte mir's der Traum,
Wenn ich im Schatten dieser Wunder-Eiche schlief.
– Und einsmals als ich eine lange Nacht
In frommer Andacht unter diesem Baum
Gesessen und dem Schlafe widerstand,
Da trat die Heilige zu mir, ein Schwert
Und Fahne tragend, aber sonst wie ich
Als Schäferin gekleidet, und sie sprach zu mir:
»Ich bin's. Steh auf Johanna. Laß die Herde.
Dich ruft der Herr zu einem anderen Geschäft!
Nimm diese Fahne! Dieses Schwert umgürte dir!
Damit vertilge meines Volkes Feinde,
Und führe deines Herren Sohn nach Rheims,
Und krön' ihn mit der königlichen Krone!«
Ich aber sprach: Wie kann ich solcher Tat
Mich unterwinden, eine zarte Magd*,
Unkundig des verderblichen Gefechts!
Und sie versetzte: »Eine reine Jungfrau
Vollbringt jedwedes Herrliche auf Erden,
Wenn sie der ird'schen Liebe widersteht.

Jungfrau,
Mädchen

Sieh mich an! Eine keusche Magd wie du
Hab' ich den Herrn, den göttlichen, geboren,
Und göttlich bin ich selbst!« – Und sie berührte
Mein Augenlid, und als ich aufwärts sah,
Da war der Himmel voll von Engelknaben,
Die trugen ⌈weiße Lilien⌉ in der Hand,
Und süßer Ton verschwebte in den Lüften.
– Und so drei Nächte nach einander ließ
Die Heilige sich sehn, und rief: »Steh auf Johanna
Dich ruft der Herr zu einem anderen Geschäft.«
Und als sie in der dritten Nacht erschien,
Da zürnte sie und scheltend sprach sie dieses Wort:
»Gehorsam ist des Weibes Pflicht auf Erden,
Das harte Dulden ist ihr schweres Los,
Durch strengen Dienst muß sie geläutert werden,
Die hier gedienet, ist dort oben groß.«
Und also sprechend ließ sie das Gewand
Der Hirtin fallen und als Königin
Der Himmel stand sie da im Glanz der Sonnen,
Und goldne Wolken trugen sie hinauf
Langsam verschwindend in das Land der Wonnen.
Alle sind gerührt, Agnes Sorel heftig weinend verbirgt ihr
Gesicht an des Königs Brust.
ERZBISCHOF *nach einem langen Stillschweigen:*
Vor solcher göttlicher Beglaubigung
Muß jeder Zweifel ird'scher Klugheit schweigen.
Die Tat bewährt* es, daß sie Wahrheit spricht,
Nur Gott allein kann solche Wunder wirken.
DÜNOIS Nicht ihren Wundern, ihrem Auge glaub' ich,
Der reinen Unschuld ihres Angesichts.
KARL Und bin ich sünd'ger solcher Gnade wert!
Untrüglich allerforschend Aug', du siehst
Mein Innerstes und kennest meine Demut!
JOHANNA Der Hohen Demut leuchtet hell dort oben,
Du beugtest dich, drum hat er dich erhoben.

KARL So werd' ich meinen Feinden widerstehn?

JOHANNA Bezwungen leg' ich Frankreich dir zu Füßen!

KARL Und Orleans sagst du, wird nicht übergehn?

25 JOHANNA Eh siehest du die Loire zurücke fließen.

KARL Werd' ich nach Rheims als Überwinder ziehn?

JOHANNA Durch tausend Feinde führ' ich dich dahin.

Alle anwesende Ritter erregen ein Getöse mit ihren Lan-
zen und Schilden, und geben Zeichen des Muts.

DÜNOIS Stell uns die Jungfrau an des Heeres Spitze,
Wir folgen blind, wohin die Göttliche
30 Uns führt! Ihr Seherauge soll uns leiten,
Und schützen soll sie dieses tapfre Schwert!

LA HIRE Nicht eine Welt in Waffen fürchten wir,
Wenn sie einher vor unsern Scharen zieht.
Der Gott des Sieges wandelt ihr zur Seite,
35 Sie führ' uns an, die mächtige, im Streite!

Die Ritter erregen ein großes Waffengetös und treten
vorwärts.

KARL Ja heilig Mädchen, führe du mein Heer,
Und seine Fürsten sollen dir gehorchen.
Dies Schwert der höchsten Kriegsgewalt, das uns
Der Kronfeldherr im Zorn zurückgesendet,
40 Hat eine würdigere Hand gefunden.
Empfange du es, heilige Prophetin,
Und sei fortan –

JOHANNA   Nicht also edler Dauphin!
Nicht durch dies Werkzeug irdischer Gewalt
Ist meinem Herrn der Sieg verliehn. Ich weiß
45 ⌜Ein ander Schwert⌝, durch das ich siegen werde.
Ich will es dir bezeichnen, wie's der Geist
Mich lehrte, sende hin und laß es holen.

KARL Nenn es Johanna.

JOHANNA   Sende nach der alten Stadt
⌜Fierboys⌝, dort, auf Sankt Kathrinens Kirchhof
50 Ist ein Gewölb, wo vieles Eisen liegt,

Von alter Siegesbeute aufgehäuft.
Das Schwert ist drunter, das mir dienen soll.
An dreien goldnen Lilien ist's zu kennen,
Die auf der Klinge eingeschlagen sind,
Dies Schwert laß holen, denn durch dieses wirst du siegen. 11

KARL Man sende hin und tue wie sie sagt.

JOHANNA Und eine weiße Fahne laß mich tragen,
Mit einem Saum von Purpur eingefaßt.
Auf dieser Fahne sei die Himmelskönigin
Zu sehen mit dem schönen Jesusknaben, 11
Die über einer Erdenkugel schwebt,
Denn also zeigte mir's die heil'ge Mutter.

KARL Es sei so wie du sagst.

JOHANNA *zum Erzbischof:* Ehrwürd'ger Bischof,
Legt eure priesterliche Hand auf mich,
Und sprecht den Segen über eure Tochter! 11
kniet nieder.

ERZBISCHOF Du bist gekommen, Segen auszuteilen,
Nicht zu empfangen – Geh mit Gottes Kraft!
Wir aber sind Unwürdige und Sünder!
sie steht auf.

EDELKNECHT
Ein Herold kommt vom engelländschen Feldherrn.

JOHANNA Laß ihn eintreten, denn ihn sendet Gott! 11
Der König winkt dem Edelknecht der hinaus geht.

⟨Elfter Auftritt⟩

Der Herold tritt herein.

KARL Was bringst du Herold? Sage deinen Auftrag.

HEROLD Wer ist es, der für Karln von Valois,
Den ⌜Grafen von Ponthieu⌝ das Wort hier führt?

DÜNOIS Nichtswürd'ger Herold! Niederträcht'ger Bube!
Erfrechst du dich den König der Franzosen 117

Auf seinem eignen Boden zu verleugnen.
Dich schützt dein Wappenrock, sonst solltest du –
HEROLD Frankreich erkennt nur einen einz'gen König,
Und dieser lebt im engelländischen Lager.
30 KARL Seid ruhig Vetter! Deinen Auftrag Herold!
HEROLD Mein edler Feldherr, den des Blutes jammert,
Das schon geflossen und noch fließen soll,
Hält seiner Krieger Schwert noch in der Scheide,
Und ehe Orleans im Sturme fällt,
35 Läßt er noch gütlichen Vergleich dir bieten.
KARL Laß hören!
JOHANNA *tritt hervor:*
     Sire! Laß mich an deiner Statt
Mit diesem Herold reden.
KARL   Tu es Mädchen!
Entscheide du, ob Krieg sei oder Friede.
JOHANNA *zum Herold:*
Wer sendet dich und spricht durch deinen Mund?
90 HEROLD Der Briten Feldherr, Graf von Sal'sbury.
JOHANNA
Herold du lügst! Der Lord spricht nicht durch dich.
Nur die Lebend'gen sprechen, nicht die Toten.
HEROLD Mein Feldherr lebt in Fülle der Gesundheit
Und Kraft, und lebt euch allen zum Verderben.
95 JOHANNA Er lebte*, da du abgingst. Diesen Morgen
Streckt' ihn ein Schuß aus Orleans zu Boden,
Als er von Turm La Tournelle niedersah.
– Du lachst, weil ich Entferntes dir verkünde?
Nicht meiner Rede, deinen Augen glaube!
00 Begegnen wird dir seiner Leiche Zug,
Wenn deine Füße dich zurücke tragen!
Jetzt Herold sprich und sage deinen Auftrag.
HEROLD Wenn du Verborgnes zu enthüllen weißt,
So kennst du ihn, noch eh' ich dir ihn sage.
05 JOHANNA Ich brauch' ihn nicht zu wissen, aber du

Vgl. Erl. zu
V. 247

Vernimm den meinen jetzt! und diese Worte
Verkündige den Fürsten, die dich sandten!
– ⌈König von England⌉, und ihr, Herzoge

verwalten Bedford und Gloster, die das Reich verwesen*!
Gebt Rechenschaft dem Könige des Himmels   12
Von wegen des vergoßnen Blutes! Gebt
Heraus die Schlüssel alle von den Städten,
Die ihr bezwungen wider göttlich Recht,
Die Jungfrau kommt vom Könige des Himmels
Euch Frieden zu bieten oder blut'gen Krieg.   12
Wählt! Denn das sag' ich euch, damit ihr's wisset,
Euch ist das schöne Frankreich nicht beschieden
Vom Sohne der Maria – sondern Karl
Mein Herr und Dauphin, dem es Gott gegeben,
Wird königlich einziehen zu Paris,   12
Von allen Großen seines Reichs begleitet.
– Jetzt Herold, geh und mach dich eilends fort,
Denn eh' du noch das Lager magst erreichen,
Und Botschaft bringen, ist die Jungfrau dort,
Und pflanzt in Orleans das Siegeszeichen.   12
sie geht, alles setzt sich in Bewegung, der Vorhang fällt.

Zweiter Aufzug

Gegend von Felsen begrenzt.

⟨*Erster Auftritt*⟩

Talbot und Lionel, englische Heerführer. Philipp Herzog von Burgund. Ritter Fastolf und Chatillon mit Soldaten und Fahnen.

TALBOT Hier unter diesen Felsen lasset uns
Halt machen und ein festes Lager schlagen,
Ob wir vielleicht die flücht'gen Völker wieder sammeln,
Die in dem ersten Schrecken sich zerstreut.
30 Stellt gute Wachen aus, besetzt die Höhn!
Zwar sichert uns die Nacht vor der Verfolgung,
Und wenn der Gegner nicht auch Flügel hat,
So fürcht' ich keinen Überfall. – Dennoch
Bedarf's der Vorsicht, denn wir haben es
35 Mit einem kecken Feind und sind geschlagen.
Ritter Fastolf geht ab mit den Soldaten.
LIONEL Geschlagen! Feldherr, nennt das Wort nicht
                                         mehr.
Ich darf es mir nicht denken, daß der Franke
Des Engelländers Rücken heut gesehn.
– O Orleans! Orleans! Grab unsers Ruhms!
40 Auf deinen Feldern liegt die Ehre Englands.
Beschimpfend lächerliche Niederlage!
Wer wird es glauben in der künft'gen Zeit!
Die Sieger bei ⌈Poitiers, Crequi
Und Azincourt⌉ gejagt von einem Weibe!
BURGUND
45 Das muß uns trösten. Wir sind nicht von Menschen
Besiegt, wir sind vom Teufel überwunden.
TALBOT Vom Teufel unsrer Narrheit – Wie Burgund?

Schreckt dies Gespenst des Pöbels auch die Fürsten?
Der Aberglaube ist ein schlechter Mantel
Für eure Feigheit – Eure Völker flohn zuerst.   12

BURGUND Niemand hielt Stand. Das Fliehn war allgemein.

TALBOT Nein Herr! Auf eurem Flügel fing es an.
Ihr stürztet euch in unser Lager, schreiend:
Die Höll' ist los, der Satan kämpft für Frankreich!
Und brachtet so die unsern in Verwirrung.   12

LIONEL Ihr könnt's nicht leugnen. Euer Flügel wich
Zuerst.

BURGUND Weil dort der erste Angriff war.

TALBOT Das Mädchen kannte unsers Lagers Blöße,
Sie wußte, wo die Furcht zu finden war.

BURGUND
Wie? Soll Burgund die Schuld des Unglücks tragen?   12

LIONEL Wir Engelländer, waren wir allein*,
Bei Gott! Wir hätten Orleans nicht verloren!

BURGUND Nein – denn ihr hättet Orleans nie gesehn!
Wer bahnte euch den Weg in dieses Reich,
Reicht' euch die treue Freundeshand, als ihr   12
An diese feindlich fremde Küste stieget?
Wer krönte euren Heinrich zu Paris,
Und unterwarf ihm der Franzosen Herzen?
Bei Gott! Wenn dieser starke Arm euch nicht
Herein geführt, ihr sahet nie* den Rauch   12
Von einem fränkischen Kamine steigen!

LIONEL Wenn es die großen Worte täten, Herzog,
So hättet ihr allein Frankreich erobert.

BURGUND Ihr seid unlustig, weil euch Orleans
Entging und laßt nun eures Zornes Galle   12
An mir, dem Bundsfreund, aus. Warum entging
Uns Orleans, als eurer Habsucht wegen?
Es war bereit, sich mir zu übergeben,
Ihr, euer Neid allein hat es verhindert.

TALBOT Nicht eurentwegen haben wir's belagert.   12

wären wir
allein gewe-
sen

ihr hättet nie
gesehen

BURGUND Wie stünd's um euch, zög'ich mein Heer
                                                zurück?
LIONEL Nicht schlimmer, glaubt mir, als bei Azincourt,
   Wo wir mit euch und mit ganz Frankreich fertig wurden.
BURGUND Doch tat's euch sehr um unsre Freundschaft
                                                Not,
85   Und teuer kaufte sie der ⌈Reichsverweser.⌉
   TALBOT Ja teuer, teuer haben wir sie heut
   Vor Orleans bezahlt mit unsrer Ehre.
BURGUND Treibt es nicht weiter Lord, es könnt' euch
                                                reuen!
   Verließ ich meines Herrn gerechte Fahnen,
90   Lud auf mein Haupt den Namen des Verräters,
   Um von dem Fremdling solches zu ertragen?
   Was tu ich hier und fechte gegen Frankreich?
   Wenn ich dem Undankbaren dienen soll,
   So will ich's meinem angebornen König.
95 TALBOT Ihr steht in Unterhandlung mit dem Dauphin,
   Wir wissen's, doch wir werden Mittel finden,
   Uns vor Verrat zu schützen.
BURGUND   Tod und Hölle!
   Begegnet man mir so? – Chatillon!
   Laß meine Völker sich zum Aufbruch rüsten
00   Wir gehn in unser Land zurück.
   Chatillon geht ab.
   LIONEL   Glück auf den Weg!
   Nie war der Ruhm des Briten glänzender,
   Als da er seinem guten Schwert allein
   Vertrauend ohne Helfershelfer focht.
   Es kämpfe jeder seine Schlacht allein,
05   Denn ewig bleibt es wahr! Französisch Blut
   Und Englisch kann sich redlich nie vermischen.

⟨*Zweiter Auftritt*⟩

Königin Isabeau von einem Pagen begleitet.

ISABEAU Was muß ich hören Feldherrn! Haltet ein!
Was für ein hirnverrückender Planet
Verwirrt euch also die gesunden Sinne?
Jetzt, da euch Eintracht nur erhalten kann,   13
Wollt ihr in Haß euch trennen und euch selbst
Befehdend euren Untergang bereiten?
– Ich bitt' euch edler Herzog. Ruft den raschen
Befehl zurück. – Und ihr, ruhmvoller Talbot,
Besänftiget den aufgebrachten Freund!   13
Kommt Lionel, helft mir die stolzen Geister
Zufrieden sprechen und Versöhnung stiften.
LIONEL Ich nicht Mylady. Mir ist alles gleich.
Ich denke so: was nicht zusammen kann
Bestehen, tut am besten sich zu lösen.   13
ISABEAU Wie? Wirkt der Hölle Gaukelkunst, die uns
Im Treffen so verderblich war, auch hier
Noch fort uns sinnverwirrend zu betören?
Wer fing den Zank an? Redet! – Edler Lord!
zu Talbot
Seid ihr's, der seines Vorteils so vergaß,   13
Den werten Bundsgenossen zu verletzen?
Was wollt ihr schaffen ohne diesen Arm?
Er baute eurem König seinen Thron,
Er hält ihn noch und stürzt ihn wenn er will,
Sein Heer verstärkt euch und noch mehr sein Name.   13
Ganz England, strömt' es alle seine Bürger
Auf unsre Küsten aus, vermöchte nicht
Dies Reich zu zwingen, wenn es einig ist,
Nur Frankreich konnte Frankreich überwinden.
TALBOT Wir wissen den getreuen Freund zu ehren.   13
Dem falschen wehren ist der Klugheit Pflicht.
BURGUND Wer treulos sich des Dankes will entschlagen*,

sich des
Dankes ent-
ziehen will

Dem fehlt des Lügners freche Stirne nicht⟨.⟩

ISABEAU Wie edler Herzog? Könntet ihr so sehr
340 Der Scham absagen und der Fürstenehre,
In jene Hand, die euren Vater mordete,
Die eurige zu legen? Wärt ihr rasend
Genug, an eine redliche Versöhnung
Zu glauben mit dem Dauphin, den ihr selbst
345 An des Verderbens Rand geschleudert habt?
So nah dem Falle wolltet ihr ihn halten,
Und euer Werk wahnsinnig selbst zerstören?
Hier stehen eure Freunde. Euer Heil
Ruht in dem festen Bunde nur mit England.

BURGUND
350 Fern ist mein Sinn vom Frieden mit dem Dauphin
Doch die Verachtung und den Übermut
Des stolzen Englands kann ich nicht ertragen.

ISABEAU Kommt! Haltet ihm ein rasches Wort zu gut.
Schwer ist der Kummer, der den Feldherrn drückt,
355 Und ungerecht, ihr wißt es, macht das Unglück.
Kommt! Kommt! Umarmt euch, laßt mich diesen Riß
Schnell heilend schließen, eh er ewig wird.

TALBOT Was dünket euch Burgund? Ein edles Herz
Bekennt sich gern von der Vernunft besiegt.
360 Die Königin hat ein kluges Wort geredet,
Laßt diesen Händedruck die Wunde heilen,
Die meine Zunge übereilend schlug.

BURGUND
Madame sprach ein verständig Wort, und mein
Gerechter Zorn weicht der Notwendigkeit.

365 ISABEAU Wohl! So besiegelt den erneuten Bund
Mit einem brüderlichen Kuß und mögen
Die Winde das Gesprochene verwehen.
Burgund und Talbot umarmen sich.
LIONEL *betrachtet die Gruppe, für sich:*
Glück zu dem Frieden, den die Furie stiftet!

ISABEAU Wir haben eine Schlacht verloren Feldherrn,
Das Glück war uns zuwider, darum aber 13
Entsink' euch nicht der edle Mut. Der Dauphin
Verzweifelt an des Himmels Schutz und ruft
Des Satans Kunst zu Hülfe, doch er habe
Umsonst sich der Verdammnis übergeben,
Und seine Hölle selbst errett' ihn nicht. 13
Ein sieghaft Mädchen führt des Feindes Heer,
Ich will das eure führen, ich will euch
Statt einer Jungfrau und Prophetin sein.

LIONEL Madame, geht nach Paris zurück. Wir wollen
Mit guten Waffen, nicht mit Weibern siegen. 13

TALBOT Geht! Geht! Seit ihr im Lager seid, geht alles
Zurück, kein Segen ist mehr in unsern Waffen.

BURGUND Geht! Eure Gegenwart schafft hier nichts Gutes
Der Krieger nimmt ein Ärgernis an euch.

ISABEAU *sieht einen um den andern erstaunt an:*
Ihr auch Burgund? Ihr nehmet wider mich 13
Partei mit diesen undankbaren Lords?

BURGUND Geht! Der Soldat verliert den guten Mut,
Wenn er für eure Sache glaubt zu fechten.

ISABEAU Ich hab' kaum Frieden zwischen euch gestiftet,
So macht ihr schon ein Bündnis wider mich? 13

TALBOT Geht, geht mit Gott Madame. Wir fürchten uns
Vor keinem Teufel mehr, sobald ihr weg seid.

ISABEAU Bin ich nicht eure treue Bundsgenossin?
Ist eure Sache nicht die meinige?

TALBOT Doch eure nicht die unsrige. Wir sind 13
In einem ehrlich guten Streit begriffen.

BURGUND Ich räche eines Vaters blut'gen Mord,
Die fromme Sohnspflicht heiligt meine Waffen*.

Vgl. Erl. zu
V. 14 u. 682

TALBOT Doch grad heraus! Was ihr am Dauphin tut
Ist weder menschlich gut, noch göttlich recht. 14

ISABEAU Fluch soll ihn treffen bis ins zehnte Glied!
⌈Er hat gefrevelt an dem Haupt der Mutter.⌉

BURGUND Er rächte einen Vater und Gemahl.

ISABEAU Er warf sich auf zum Richter meiner Sitten!

05 LIONEL Das war unehrerbietig von dem Sohn!

ISABEAU In die Verbannung hat er mich geschickt.

TALBOT Die öffentliche Stimme zu vollziehn.

ISABEAU Fluch treffe mich, wenn ich ihm je vergebe!
Und eh er herrscht in seines Vaters Reich –

10 TALBOT Eh opfert ihr die Ehre seiner Mutter!

ISABEAU Ihr wißt nicht, schwache Seelen,
Was ein beleidigt Mutterherz vermag.
Ich liebe, wer mir gutes tut und hasse
Wer mich verletzt, und ist's der eigne Sohn,

15 Den ich geboren, desto hassenswerter.
Dem ich das Dasein gab, will ich es rauben,
Wenn er mit ruchlos frechem Übermut
Den eignen Schoß verletzt, der ihn getragen.
Ihr die ihr Krieg führt gegen meinen Sohn,

20 Ihr habt nicht Recht, noch Grund ihn zu berauben.
Was hat der Dauphin schweres gegen Euch
Verschuldet? Welche Pflichten brach er Euch?
Euch treibt die Ehrsucht, der gemeine Neid,
Ich darf ihn hassen, ich hab' ihn geboren.

25 TALBOT Wohl, an der Rache fühlt er seine Mutter!

ISABEAU Armsel'ge Gleisner*, wie veracht' ich euch,   Heuchler
Die ihr euch selbst so wie die Welt belügt!
Ihr Engelländer streckt die Räuberhände
Nach diesem Frankreich aus, wo ihr nicht Recht

30 Noch gült'gen Anspruch habt auf so viel Erde
Als eines Pferdes Huf bedeckt. – Und dieser Herzog
Der sich den Guten schelten läßt*, verkauft   Vgl. Erl. zu
Sein Vaterland, das Erbreich seiner Ahnen   V. 14
Dem Reichsfeind und dem fremden Herrn. – Gleichwohl

35 Ist euch das dritte Wort Gerechtigkeit.
– Die Heuchelei veracht' ich. Wie ich bin,
So sehe mich das Aug' der Welt.

BURGUND   Wahr ists!
Den Ruhm habt ihr mit starkem Geist behauptet.
ISABEAU Ich habe Leidenschaften, warmes Blut
Wie eine andre, und ich kam als Königin
In dieses Land, zu leben, nicht zu scheinen.
Sollt' ich der Freud' absterben, weil der Fluch
Des Schicksals meine lebensfrohe Jugend

Vgl. Erl. zu
V. 737

Zu dem wahnsinn'gen Gatten* hat gesellt?
Mehr als das Leben lieb' ich meine Freiheit,
Und wer mich hier verwundet – Doch warum
Mit euch mich streiten über meine Rechte?
Schwer fließt das dicke Blut in euren Adern,
Ihr kennt nicht das Vergnügen, nur die Wut!
Und dieser Herzog, der sein Lebenlang
Geschwankt hat zwischen Bös und Gut, kann nicht
Von Herzen hassen noch von Herzen lieben.
– Ich geh nach Melün*. Gebt mir diesen da,

Melun,
Stadt an der
Seine, im
Südosten
von Paris

auf Lionel zeigend
Der mir gefällt, zur Kurzweil und Gesellschaft,
Und dann macht was ihr wollt! Ich frage nichts
Nach den Burgundern noch den Engelländern.
sie winkt ihrem Pagen und will gehen.
LIONEL Verlaßt euch drauf. Die schönsten Frankenknaben
Die wir erbeuten, schicken wir nach Melün.
ISABEAU *zurückkommend:*
Wohl taugt ihr, mit dem Schwerte drein zu schlagen,
Der Franke nur weiß zierliches zu sagen.
sie geht ab.

⟨*Dritter Auftritt*⟩

TALBOT Was für ein Weib!

LIONEL   Nun eure Meinung Feldherrn!
  Fliehn wir noch weiter oder wenden uns
  Zurück, durch einen schnellen kühnen Streich
  Den Schimpf des heut'gen Tages auszulöschen?

65 BURGUND Wir sind zu schwach, die Völker sind zerstreut,
  Zu neu ist noch der Schrecken in dem Heer.

TALBOT Ein blinder Schrecken nur hat uns besiegt,
  Der schnelle Eindruck eines Augenblicks.
  Dies Furchtbild der erschreckten Einbildung

70 Wird, näher angesehn, in Nichts verschwinden.
  Drum ist mein Rat, wir führen die Armee
  Mit Tagesanbruch ⌐über den Strom zurück⌐,
  Dem Feind entgegen.

BURGUND   Überlegt –

LIONEL   Mit eurer
  Erlaubnis. Hier ist nichts zu überlegen.

75 Wir müssen das Verlorne schleunig wieder
  Gewinnen oder sind beschimpft auf ewig.

TALBOT Es ist beschlossen. Morgen schlagen wir.
  Und dies Phantom des Schreckens zu zerstören,
  Das unsre Völker blendet und entmannt,

80 Laßt uns mit diesem jungfräulichen Teufel
  Uns messen in persönlichem Gefecht.
  Stellt sie sich unserm tapfern Schwert, nun dann
  So hat sie uns zum letztenmal geschadet,
  Stellt sie sich nicht, und seid gewiß, sie meidet

85 Den ernsten Kampf, so ist das Heer entzaubert.

LIONEL So seis! Und mir, mein Feldherr, überlasset
  Dies leichte Kampfspiel, wo kein Blut soll fließen.
  Denn lebend denk ich das Gespenst zu fangen,
  Und vor des Bastards Augen, ihres Buhlen*,

90 Trag ich auf diesen Armen sie herüber
  Zur Lust des Heers, in das britann'sche Lager.

ihres Gelieb-
ten (Genitiv
von Buhle)

BURGUND Versprechet nicht zu viel.

TALBOT   Erreich ich sie,
Ich denke sie so sanft nicht zu umarmen.
Kommt jetzo, die ermüdete Natur
Durch einen leichten Schlummer zu erquicken,   14
Und dann zum Aufbruch mit der Morgenröte.
sie gehen ab.

⟨*Vierter Auftritt*⟩

Johanna mit der Fahne, im Helm und Brustharnisch, sonst
aber weiblich gekleidet*, Dünois, La Hire, Ritter und Sol-
daten zeigen sich oben auf dem Felsenweg, ziehen still dar-
über hinweg, und erscheinen gleich darauf auf der Szene.

JOHANNA *zu den Rittern, die sie umgeben, indem der*
Zug oben immer noch fortwährt:
Erstiegen ist der Wall, wir sind im Lager!
Jetzt werft die Hülle der verschwiegnen Nacht
Von euch, die euren stillen Zug verhehlte,
Und macht dem Feinde eure Schreckensnähe   15
Durch lauten Schlachtruf kund – Gott und die Jungfrau!

ALLE *rufen laut unter wildem Waffengetös:*
Gott und die Jungfrau!
Trommeln und Trompeten.

SCHILDWACHE *hinter der Szene:*
                              Feinde! Feinde! Feinde!

JOHANNA Jetzt Fackeln her! Werft Feuer in die Zelte!
Der Flammen Wut vermehre das Entsetzen,
Und drohend rings umfange sie der Tod!   15
Soldaten eilen fort, sie will folgen.

DÜNOIS *hält sie zurück:*
Du hast das deine nun erfüllt Johanna!
Mitten in's Lager hast du uns geführt,
Den Feind hast du in unsre Hand gegeben.

Jetzt aber bleibe von dem Kampf zurück,
10   Uns überlaß die blutige Entscheidung.
   LA HIRE Den Weg des Siegs bezeichne du dem Heer,
   Die Fahne trag' uns vor in reiner Hand,
   ⌐Doch nimm das Schwert, das tödliche, nicht selbst⌐,
   Versuche nicht den falschen Gott der Schlachten,
15   Denn blind und ohne Schonung waltet er.
   JOHANNA Wer darf mir Halt gebieten? Wer dem Geist
   Vorschreiben, der mich führt? Der Pfeil muß fliegen,
   Wohin die Hand ihn seines Schützen treibt.
   Wo die Gefahr ist muß Johanna sein,
20   Nicht heut, nicht hier ist mir bestimmt zu fallen,
   Die Krone muß ich sehn auf meines Königs Haupt,
   Dies Leben wird kein Gegner mir entreißen,
   Bis ich vollendet, was mir Gott geheißen.
   sie geht ab.
   LA HIRE Kommt Dünois! Laßt uns der Heldin folgen,
25   Und ihr die tapfre Brust zum Schilde leihn!
   gehen ab.

⟨*Fünfter Auftritt*⟩

Englische Soldaten fliehen über die Bühne.
ERSTER Das Mädchen! Mitten im Lager!
ZWEITER
   Nicht möglich! Nimmermehr! Wie kam sie in das Lager?
DRITTER Durch die Luft! Der Teufel hilft ihr!
VIERTER *und* FÜNFTER Flieht! Flieht! Wir sind alle des
                                    Todes!
   gehen ab.
   TALBOT *kommt:*
30   Sie hören nicht – Sie wollen mir nicht stehn*!   als Truppe
   Gelöst sind alle Bande des Gehorsams,   zusammen-
   Als ob die Hölle ihre Legionen   bleiben

Verdammter Geister ausgespieen, reißt
Ein Taumelwahn den Tapfern und den Feigen
Gehirnlos fort, nicht eine kleine Schar   15
Kann ich der Feinde Flut entgegenstellen,
Die wachsend, wogend in das Lager dringt!
– Bin ich der einzig nüchterne und alles
Muß um mich her in Fiebers Hitze rasen?
Vor diesen Fränkschen Weichlingen zu fliehn,   15
Die wir in zwanzig Schlachten überwunden! –
Wer ist sie denn, die Unbezwingliche,
Die Schreckensgöttin, die der Schlachten Glück
Auf einmal wendet, und ein schüchtern Heer
Von feigen Reh'n in Löwen umgewandelt?   15

Taschen-
spielerin,
Zauberin Eine Gauklerin*, die die gelernte Rolle
Der Heldin spielt, soll wahre Helden schrecken?
Ein Weib entriß mir allen Siegesruhm?

SOLDAT *stürzt herein:*
Das Mädchen! Flieh! Flieh Feldherr!

TALBOT *stößt ihn nieder:*   Flieh zur Hölle
Du selbst! Den soll dies Schwert durchbohren,   15
Der mir von Furcht spricht und von feiger Flucht.
er geht ab.

⟨Sechster Auftritt⟩

Bühnenhin-
tergrund *Der Prospekt* öffnet sich. Man sieht das englische Lager
in vollen Flammen stehen. Trommeln, Flucht und Verfol-
gung. Nach einer Weile kommt Montgomery.*

MONTGOMERY *allein:*
⌈Wo soll ich hinfliehn?⌉ Feinde rings umher und Tod!
Hier der ergrimmte Feldherr, der mit droh'ndem Schwert
Die Flucht versperrend uns dem Tod entgegen treibt.
Dort die Fürchterliche, die verderblich um sich her   15
Wie die Brunst des Feuers raset – Und rings um kein Busch,

Der mich verbärge, keiner Höhle sichrer Raum!
O wär ich nimmer über Meer hieher geschifft,
Ich Unglückselger! Eitler Wahn betörte mich,
Wohlfeilen* Ruhm zu suchen in dem Frankenkrieg,   leicht zu er-
Und jetzo führt mich das verderbliche Geschick   langenden
In diese blut'ge Mordschlacht. – Wär' ich weit von hier
Daheim noch an der Savern'* blühendem Gestad,   Severn:
Im sichern Vaterhause, wo die Mutter mir   engl., in
    Wales ent-
In Gram zurückblieb und die zarte süße Braut.   springender
Johanna zeigt sich in der Ferne   Fluss
Weh mir! Was seh ich! Dort erscheint die Schreckliche!
Aus Brandes Flammen, düster leuchtend, hebt sie sich,
Wie aus der Hölle Rachen ein Gespenst der Nacht
Hervor. – Wohin entrinn' ich! Schon ergreift sie mich
Mit ihren Feueraugen, wirft von fern
Der Blicke Schlingen nimmer fehlend nach mir aus.
Um meine Füße, fest und fester, wirret sich
Das Zauberknäul, daß sie gefesselt mir die Flucht
Versagen! Hinsehn muß ich, wie das Herz mir auch
Dagegen kämpfe, nach der tödlichen Gestalt!
Johanna tut einige Schritte ihm entgegen, und bleibt wieder stehen.
Sie naht! Ich will nicht warten, bis die Grimmige
Zuerst mich anfällt! Bittend will ich ihre Knie
Umfassen, um mein Leben flehn, sie ist ein Weib,
Ob ich vielleicht durch Tränen sie erweichen kann!
indem er auf sie zugehen will, tritt sie ihm rasch entgegen.

⟨*Siebenter Auftritt*⟩

JOHANNA
Du bist des Todes! Eine brit'sche Mutter zeugte dich.   1

MONTGOMERY *fällt ihr zu Füßen:*
Halt ein Furchtbare! Nicht den unverteidigten
Durchbohre. Weggeworfen hab' ich Schwert und Schild,
Zu deinen Füßen sink ich wehrlos, flehend hin.
Laß mir das Licht des Lebens, nimm ein Lösegeld.
Reich an Besitztum wohnt der Vater mir daheim   1*
Wales Im schönen Lande Wallis*, wo die schlängelnde
Savern' durch grüne Auen rollt den Silberstrom,
Und funfzig Dörfer kennen seine Herrschaft an.
Mit reichem Golde lös't er den geliebten Sohn,
Wenn er mich im Frankenlager lebend noch vernimmt.   1

JOHANNA Betrogner Tor! Verlorner! In der Jungfrau Hand
Bist du gefallen, die verderbliche, woraus
Nicht Rettung noch Erlösung mehr zu hoffen ist.
Wenn dich das Unglück in des Krokodils Gewalt
Gegeben oder des gefleckten Tigers Klaun,   1
Wenn du der Löwenmutter junge Brut geraubt,
Du könntest Mitleid finden und Barmherzigkeit,
Doch tödlich ist's, der Jungfrau zu begegnen.
Denn dem Geisterreich, dem strengen, unverletzlichen,
Verpflichtet mich der furchtbar bindende Vertrag,   1*
Mit dem Schwert zu töten alles lebende, das mir
Der Schlachten Gott verhängnisvoll entgegen schickt.

MONTGOMERY
Furchtbar ist deine Rede, doch dein Blick ist sanft,
Nicht schrecklich bist du in der Nähe anzuschaun,
Es zieht das Herz mich zu der lieblichen Gestalt.   1*
O bei der Milde deines zärtlichen Geschlechts
Fleh ich dich an. Erbarme meiner Jugend dich!

JOHANNA Nicht mein Geschlecht beschwöre! Nenne
                                               mich nicht Weib.

Gleichwie die körperlosen Geister, die nicht frein
10   Auf ird'sche Weise, schließ ich mich an kein Geschlecht
Der Menschen an, und dieser Panzer deckt kein Herz.
MONTGOMERY O bei der Liebe heilig waltendem Gesetz
Dem alle Herzen huldigen, beschwör' ich dich.
Daheim gelassen hab' ich eine holde Braut,
15   Schön wie du selbst bist, blühend in der Jugend Reiz.
Sie harret weinend des Geliebten Wiederkunft,
O wenn du selber je zu lieben hoffst, und hoffst
Beglückt zu sein durch Liebe! Trenne grausam nicht
Zwei Herzen, die der Liebe heilig Bündnis knüpft!
20 JOHANNA Du rufest lauter irdisch fremde Götter an,
Die mir nicht heilig, noch verehrlich sind. Ich weiß
Nichts von der Liebe Bündnis, das du mir beschwörst,
Und nimmer kennen werd' ich ihren eiteln Dienst.
Verteidige dein Leben, denn dir ruft der Tod.
MONTGOMERY
25   O so erbarme meiner jammervollen Eltern dich,
Die ich zu Haus verlassen. Ja gewiß auch du
Verließest Eltern, die die Sorge quält um dich.
JOHANNA Unglücklicher! Und du erinnerst mich daran,
Wie viele Mütter dieses Landes kinderlos,
30   Wie viele zarte Kinder vaterlos, wie viel
Verlobte Bräute Witwen worden sind durch euch!
Auch Englands Mütter mögen die Verzweiflung nun
Erfahren, und die Tränen kennen lernen,
Die Frankreichs jammervolle Gattinnen geweint.
MONTGOMERY
35   O schwer ist's, in der Fremde sterben unbeweint.
JOHANNA
Wer rief euch in das fremde Land, den blüh'nden Fleiß
Der Felder zu verwüsten, von dem heim'schen Herd
Uns zu verjagen und des Krieges Feuerbrand
Zu werfen in der Städte friedlich Heiligtum?
40   Ihr träumtet schon in eures Herzens eitelm Wahn

Den freigebornen Franken in der Knechtschaft Schmach
Zu stürzen und dies große Land, gleichwie ein Boot,
An euer stolzes Meerschiff zu befestigen!
Ihr Toren! Frankreichs königliches Wappen hängt
Am Throne Gottes, eher rißt ihr einen Stern

Sternbild
›Großer
Wagen‹

Vom Himmelwagen*, als ein Dorf aus diesem Reich,
Dem unzertrennlich ewig einigen! – Der Tag
Der Rache ist gekommen, nicht lebendig mehr

zurück
durch-
queren

Zurücke messen* werdet ihr das heil'ge Meer,
Das Gott zur Länderscheide zwischen euch und uns
Gesetzt, und das ihr frevelnd überschritten habt.

MONTGOMERY *läßt ihre Hand los:*
O ich muß sterben! Grausend faßt mich schon der Tod.

JOHANNA
Stirb Freund! Warum so zaghaft zittern vor dem Tod
Dem unentfliehbaren Geschick? – Sieh mich an! Sieh!
Ich bin nur eine Jungfrau, eine Schäferin
Geboren, nicht des Schwerts gewohnt ist diese Hand,
Die den unschuldig frommen Hirtenstab geführt.

Feld, Boden

Doch weggerissen von der heimatlichen Flur*,
Vom Vaters Busen, von der Schwestern lieber Brust
Muß ich h i e r, ich m u ß – mich treibt die Götterstimme,
nicht
Eignes Gelüsten, – e u c h zu bitterm Harm, m i r nicht
Zur Freude, ein Gespenst des Schreckens würgend gehn,
Den Tod verbreiten und sein Opfer sein zuletzt!
Denn nicht den Tag der frohen Heimkehr werd' ich sehn,
Noch vielen von den Euren werd' ich tödlich sein,
Noch viele Witwen machen, aber endlich werd'
Ich selbst umkommen und erfüllen mein Geschick.
– Erfülle du auch deines. Greife frisch zum Schwert,
Und um des Lebens süße Beute kämpfen wir.

MONTGOMERY *steht auf:*
Nun, wenn du sterblich bist wie ich und Waffen dich
Verwunden, kann's auch meinem Arm beschieden sein,

Zweiter Aufzug

Zur Höll dich sendend Englands Not zu endigen.
In Gottes gnäd'ge Hände leg' ich mein Geschick.
Ruf' du Verdammte deine Höllengeister an,
75   Dir beizustehen! Wehre deines Lebens dich!
er ergreift Schild und Schwert und dringt auf sie ein,
kriegerische Musik erschallt in der Ferne, nach einem
kurzen Gefechte fällt Montgomery.

⟨Achter Auftritt⟩

Johanna
Dich trug dein Fuß zum Tode – Fahre hin!
Sie tritt von ihm weg und bleibt gedankenvoll stehen
Erhabne Jungfrau, du wirkst mächtiges in mir!
Du rüstest den unkriegerischen Arm mit Kraft,
Dies Herz mit Unerbittlichkeit bewaffnest du.
80   In Mitleid schmilzt die Seele und die Hand erbebt,
Als bräche sie in eines Tempels heil'gen Bau,
Den blühenden Leib des Gegners zu verletzen,
Schon vor des Eisens blanker Schneide schaudert mir,
Doch wenn es Not tut, als bald ist die Kraft mir da,
85   Und nimmer irrend in der zitternden Hand regiert
Das Schwert sich selbst, als wär' es ein lebend'ger Geist.

⟨Neunter Auftritt⟩

Ein Ritter mit geschloßnem Visier tritt auf.
RITTER ⌜Verfluchte! Deine Stunde ist gekommen,
Dich sucht' ich auf dem ganzen Feld der Schlacht
Verderblich Blendwerk! Fahre zu der Hölle
90   Zurück, aus der du aufgestiegen bist.⌝
JOHANNA Wer bist du, den sein böser Engel mir
Entgegen schickt? Gleich eines Fürsten ist

Benehmen

die bur-
gund.
Schärpe

Dein Anstand*, auch kein Brite scheinst du mir,
Denn dich bezeichnet die Burgundsche Binde*,
Vor der sich meines Schwertes Spitze neigt. 16

RITTER Verworfne, du verdientest nicht zu fallen
Von eines Fürsten edler Hand. Das Beil
Des Henkers sollte dein verdammtes Haupt
Vom Rumpfe trennen, nicht der tapfre Degen
Des königlichen Herzogs von Burgund. 17

JOHANNA So bist du dieser edle Herzog selbst?

RITTER *schlägt das Visier auf:*
Ich bin's. Elende zittre und verzweifle!
Die Satanskünste schützen dich nicht mehr,
Du hast bis jetzt nur Schwächlinge bezwungen,
Ein Mann steht vor dir. 17

⟨*Zehnter Auftritt*⟩

Dünois und La Hire zu den Vorigen.

DÜNOIS   Wende dich Burgund!
Mit Männern kämpfe, nicht mit Jungfrauen.

LA HIRE Wir schützen der Prophetin heilig Haupt,
Erst muß dein Degen diese Brust durchbohren –

Zauberin in
der griech.
Mythologie,
allg. verfüh-
rerische Frau

BURGUND Nicht diese buhlerische Circe* fürcht' ich,
Noch euch, die sie so schimpflich hat verwandelt. 17
Erröte Bastard, Schande dir La Hire,
Daß du die alte Tapferkeit zu Künsten
Der Höll' erniedrigst, den verächtlichen
⌐Schildknappen⌐ einer Teufelsdirne machst.

Euch alle
fordere ich
zum Kampf!

Kommt her! Euch allen biet' ichs*! Der verzweifelt 17
An Gottes Schutz, der zu dem Teufel flieht.
sie bereiten sich zum Kampf, Johanna tritt dazwischen.

JOHANNA Haltet inne!

BURGUND   Zitterst du für deinen Buhlen?
Vor deinen Augen soll er –
dringt auf Dünois ein.

JOHANNA   Haltet inne!
Trennt sie La Hire – Kein französisch Blut soll fließen!
20   Nicht Schwerter sollen diesen Streit entscheiden.
Ein andres ist beschlossen in den Sternen –
Aus einander sag' ich – Höret und verehrt
Den Geist, der mich ergreift, der aus mir redet!
DÜNOIS   Was hältst du meinen aufgehobnen Arm,
25   Und hemmst des Schwertes blutige Entscheidung?
Das Eisen ist gezückt, es fällt der Streich,
Der Frankreich rächen und versöhnen soll.
JOHANNA *stellt sich in die Mitte und trennt beide Teile*
durch einen weiten Zwischenraum, zum Bastard:
Tritt auf die Seite!
zu la Hire: Bleib gefesselt stehen!
Ich habe mit dem Herzoge zu reden.
nachdem alles ruhig ist
30   Was willst du tun Burgund? Wer ist der Feind,
Den deine Blicke mordbegierig suchen?
Dieser edle Prinz ist Frankreichs Sohn wie du,
Dieser Tapfre ist dein Waffenfreund und Landsmann,
Ich selbst bin deines Vaterlandes Tochter.
35   Wir alle, die du zu vertilgen strebst,
Gehören zu den Deinen – unsre Arme
Sind aufgetan dich zu empfangen, unsre Knie
Bereit dich zu verehren – unser Schwert
Hat keine Spitze gegen dich. Ehrwürdig
40   Ist uns das Antlitz, selbst im Feindeshelm,
Das unsers Königs teure Züge trägt.
BURGUND   Mit süßer Rede schmeichlerischem Ton
Willst du ⌈Sirene⌉! deine Opfer locken.
Arglist'ge, mich betörst du nicht. Verwahrt*   Geschützt
45   Ist mir das Ohr vor deiner Rede Schlingen
Und deines Auges Feuerpfeile gleiten
Am guten Harnisch meines Busens ab.
Zu den Waffen Dünois!
Mit Streichen nicht mit Worten laß uns fechten.

DÜNOIS Erst Worte und dann Streiche. Fürchtest du
Vor Worten dich? Auch das ist Feigheit
Und der Verräter einer bösen Sache.

JOHANNA Uns treibt nicht die gebieterische Not
Zu deinen Füßen, nicht als Flehende
Erscheinen wir vor dir. – Blick um dich her!
In Asche liegt das engelländ'sche Lager,
Und eure Toten decken das Gefild.

Kriegstrom-
pete
Du hörst der Franken Kriegstrommete* tönen,
Gott hat entschieden, unser ist der Sieg.
Des schönen Lorbeers frisch gebrochnen Zweig
Sind wir bereit, mit unserm Freund zu teilen.
– O komm herüber! Edler Flüchtling komm!
Herüber, wo das Recht ist und der Sieg.
Ich selbst, die Gottgesandte, reiche dir
Die schwesterliche Hand. Ich will dich rettend
Herüberziehn auf unsre reine Seite! –
Der Himmel ist für Frankreich. Seine Engel,
Du siehst sie nicht, sie fechten für den König,
Sie alle sind mit Lilien geschmückt,
Lichtweiß wie diese Fahn ist unsre Sache,
Die reine Jungfrau ist ihr keusches Sinnbild.

betrügerisch BURGUND Verstrickend ist der Lüge trüglich* Wort,
Doch ihre Rede ist wie eines Kindes.
Wenn böse Geister ihr die Worte leihn,
So ahmen sie die Unschuld siegreich nach.
Ich will nicht weiter hören. Zu den Waffen!
Mein Ohr, ich fühl's, ist schwächer als mein Arm.

JOHANNA Du nennst mich eine Zauberin, gibst mir Künste
Der Hölle Schuld – Ist Frieden stiften, Haß
Versöhnen, ein Geschäft der Hölle? Kommt
Hölle
Die Eintracht aus dem ew'gen Pfuhl* hervor?
Was ist unschuldig, heilig, menschlich gut,
Wenn es der Kampf nicht ist um's Vaterland?
Seit wann ist die Natur so mit sich selbst

Im Streite, daß der Himmel die gerechte Sache
Verläßt, und daß die Teufel sie beschützen?
Ist aber das, was ich dir sage, gut,
Wo anders als von oben konnt' ich's schöpfen*?   erhalten
Wer hätte sich auf meiner Schäfertrift
90 Zu mir gesellt, das kind'sche Hirtenmädchen
In königlichen Dingen einzuweihn?
Ich bin vor hohen Fürsten nie gestanden,
Die Kunst der Rede ist dem Munde fremd.
Doch jetzt, da ich's bedarf dich zu bewegen,
95 Besitz' ich Einsicht, hoher Dinge Kunde,
Der Länder und der Könige Geschick
Liegt sonnenhell vor meinem Kindesblick,
Und einen ⌈Donnerkeil⌉ führ' ich im Munde.

BURGUND *lebhaft bewegt, schlägt die Augen zu ihr auf*
und betrachtet sie mit Erstaunen und Rührung:
Wie wird mir? Wie geschieht mir? Ist's ein Gott,
00 Der mir das Herz im tiefsten Busen wendet!
– Sie trägt nicht diese rührende Gestalt!
Nein! Nein! Bin ich durch Z a u b e r s Macht geblendet,
So ist's durch eine himmlische Gewalt,
Mir sagt's das Herz, sie ist von Gott gesendet.

05 JOHANNA Er ist gerührt, er ist's! Ich habe nicht
Umsonst gefleht, des Zornes Donnerwolke schmilzt
Von seiner Stirne tränentauend hin,
Und aus den Augen, Friede strahlend, bricht
Die goldne Sonne des Gefühls hervor.
10 – Weg mit den Waffen – drücket Herz an Herz –
Er weint, er ist bezwungen, er ist unser!
Schwert und Fahne entsinken ihr, sie eilt auf ihn zu mit
ausgebreiteten Armen und umschlingt ihn mit leiden-
schaftlichem Ungestüm. La Hire und Dünois lassen die
Schwerter fallen und eilen ihn zu umarmen.

Dritter Aufzug

Hoflager des Königs zu ⌐Chalons an der Marne⌐.

⌐*(Erster Auftritt)*⌐

Dünois und La Hire treten auf.

DÜNOIS Wir waren Herzensfreunde, Waffenbrüder,
  Für Eine Sache hoben wir den Arm
  Und hielten fest in Not und Tod zusammen.
  Laßt Weiberliebe nicht das Band zertrennen,   18|
  Das jeden Schicksalswechsel ausgehalten.
LA HIRE
  Prinz hört mich an!
DÜNOIS   Ihr liebt das wunderbare Mädchen,
  Und mir ist wohl bekannt, worauf Ihr sinnt.
  Zum König denkt ihr steh'nden Fußes jetzt
  Zu gehen, und die Jungfrau zum Geschenk   18|
  Euch zu erbitten – Eurer Tapferkeit
  Kann er den wohlverdienten Preis nicht weigern.
  Doch wißt – eh ich in eines andern Arm
  Sie sehe –
LA HIRE   Hört mich Prinz!
DÜNOIS   Es zieht mich nicht
  Der Augen flüchtig schnelle Lust zu ihr.   18|
  Den unbezwungnen Sinn hat nie ein Weib
  Gerührt bis ich die Wunderbare sah,
  Die eines Gottes Schickung diesem Reich
  Zur Retterin bestimmt und mir zum Weibe,
  Und in dem Augenblick gelobt' ich mir   18|
  Mit heil'gem Schwur als Braut sie heimzuführen.
  Denn nur die Starke kann die Freundin sein
  Des starken Mannes, und dies glüh'nde Herz
  Sehnt sich an einer gleichen Brust zu ruhn,
  Die seine Kraft kann fassen und ertragen.   18|

LA HIRE
Wie könnt' ich's wagen Prinz, mein schwach Verdienst
Mit eures Namens Heldenruhm zu messen!
Wo sich Graf Dünois in die Schranken stellt*,   zum Wett-
Muß jeder andre Mitbewerber weichen.   bewerb an-
                                                        tritt
40   Doch eine niedre Schäferin kann nicht
Als Gattin würdig euch zur Seite stehn,
Das königliche Blut, das eure Adern
Durchrinnt, verschmäht so niedrige Vermischung.
DÜNOIS Sie ist das Götterkind der heiligen
45   Natur wie ich, und ist mir ebenbürtig.
Sie sollte eines Fürsten Hand entehren,
Die eine Braut der reinen Engel ist,
Die sich das Haupt mit einem Götterschein
Umgibt, der heller strahlt als irdsche Kronen,
50   Die jedes Größte, Höchste dieser Erden
Klein unter ihren Füßen liegen sieht;
Denn alle Fürstenthronen auf einander
Gestellt, bis zu den Sternen fortgebaut,
Erreichten nicht die Höhe, wo sie steht,
55   In ihrer Engels-Majestät!
LA HIRE Der König mag entscheiden.
DÜNOIS   Nein sie selbst
Entscheide! Sie hat Frankreich frei gemacht
Und selber frei muß sie ihr Herz verschenken.
LA HIRE Da kommt der König!

⟨Zweiter Auftritt⟩

Karl. Agnes Sorel. Dü Chatel und Chatillon treten auf.
KARL *zu Chatillon:*
60   Er kommt! Er will als seinen König mich
Erkennen, sagt ihr, und mir huldigen?
CHATILLON Hier Sire, in deiner königlichen Stadt

Chalons will sich der Herzog, mein Gebieter,
Zu deinen Füßen werfen. – Mir befahl er,
Als meinen Herrn und König dich zu grüßen,   18
Er folgt mir auf dem Fuß, gleich naht er selbst.
SOREL Er kommt! O schöne Sonne dieses Tags,
Der Freude bringt und Frieden und Versöhnung!
CHATILLON
Mein Herr wird kommen mit zweihundert Rittern,
Er wird zu deinen Füßen niederknien,   18
Doch er erwartet, daß du es n i c h t duldest,
Als deinen Vetter freundlich ihn umarmest.
KARL Mein Herz glüht, an dem seinigen zu schlagen.
CHATILLON Der Herzog bittet, daß des alten Streits
Beim ersten Wiedersehn mit keinem Worte   18
Meldung gescheh!
KARL   Versenkt im ⌈Lethe⌉ sei
Auf ewig das Vergangene. Wir wollen
Nur in der Zukunft heitre Tage sehn.
CHATILLON Die für Burgund gefochten, alle sollen
In die Versöhnung aufgenommen sein.   18
KARL Ich werde so mein Königreich verdoppeln!
CHATILLON Die Königin Isabeau soll in dem Frieden
Mit eingeschlossen sein, wenn sie ihn annimmt.
KARL Sie führet Krieg mit m i r, nicht ich mit i h r.
Unser Streit ist aus, sobald sie selbst ihn endigt.   18
CHATILLON Zwölf Ritter sollen bürgen für dein Wort.
KARL Mein Wort ist heilig.
CHATILLON   Und der Erzbischof
Soll eine ⌈Hostie⌉ teilen zwischen dir und ihm,
Zum Pfand und Siegel redlicher Versöhnung,
KARL So sei mein Anteil an dem ew'gen Heil,   18
Als Herz und Handschlag bei mir einig sind.
Welch andres Pfand verlangt der Herzog noch?
CHATILLON *mit einem Blick auf Dü Chatel:*
Hier seh ich Einen, dessen Gegenwart

Den ersten Gruß vergiften könnte*.
Dü Chatel geht schweigend.

Vgl. Erl. zu
V. 682

KARL   Geh

895 Dü Chatel! Bis der Herzog deinen Anblick
Ertragen kann, magst du verborgen bleiben!
er folgt ihm mit den Augen, dann eilt er ihm nach und
umarmt ihn.
Rechtschaffner Freund! Du wolltest mehr als dies
Für meine Ruhe tun!*
Dü Chatel geht ab.

Vgl. V. 889–
894

CHATILLON Die andern Punkte nennt dies Instrument*.

KARL *zum Erzbischof:*

die schriftli-
che Urkunde

900 Bringt es in Ordnung. Wir genehm'gen alles,
Für einen Freund ist uns kein Preis zu hoch.
Geht Dünois! Nehmt hundert edle Ritter
Mit euch und holt den Herzog freundlich ein.
Die Truppen alle sollen sich mit Zweigen
905 Bekränzen, ihre Brüder zu empfangen.
Zum Feste schmücke sich die ganze Stadt,
Und alle Glocken sollen es verkünden,
Daß Frankreich und Burgund sich neu verbünden.
Ein Edelknecht kommt. Man hört Trompeten.
Horch! Was bedeutet der Trompeten Ruf?

910 EDELKNECHT Der Herzog von Burgund hält seinen Einzug.
geht ab.

DÜNOIS *geht mit La Hire und Chatillon:*
Auf! Ihm entgegen!

KARL *zur Sorel:*
Agnes du weinst? Beinah gebricht* auch mir

fehlt

Die Stärke, diesen Auftritt zu ertragen.
Wie viele Todesopfer mußten fallen,
915 Bis wir uns friedlich konnten wiedersehn.
Doch endlich legt sich jedes Sturmes Wut,
Tag wird es auf die dickste Nacht, und kommt
Die Zeit, so reifen auch die spätsten Früchte!

ERZBISCHOF *am Fenster:*
Der Herzog kann sich des Gedränges kaum
Erledigen*. Sie heben ihn vom Pferd,   192
Sie küssen seinen Mantel, seine Sporen.
KARL Es ist ein gutes Volk, in seiner Liebe
Raschlodernd wie in seinem Zorn. – Wie schnell
Vergessen ist's, daß eben dieser Herzog
Die Väter ihnen und die Söhne schlug,   192
Der Augenblick verschlingt ein ganzes Leben!
– Faß dich, Sorel! Auch deine heft'ge Freude
Möcht' ihm ein Stachel in die Seele sein,
Nichts soll ihn hier beschämen, noch betrüben.

⟨*Dritter Auftritt*⟩

*Herzog von Burgund. Dünois. La Hire. Chatillon und
noch zwei andere Ritter von des Herzogs Gefolge. Der
Herzog bleibt am Eingang stehen, der König bewegt sich
gegen ihn, sogleich nähert sich Burgund und in dem Au-
genblick, wo er sich auf ein Knie will niederlassen, emp-
fängt ihn der König in seinen Armen.*
KARL Ihr habt uns überrascht – Euch einzuholen   19
Gedachten wir – Doch ihr habt schnelle Pferde.
BURGUND Sie trugen mich zu meiner Pflicht.
er umarmt die Sorel und küßt sie auf die Stirne.
                                          Mit eurer
Erlaubnis Base*. Das ist unser Herrenrecht
Zu ⌜Arras⌝ und kein schönes Weib darf sich
Der Sitte weigern.   193
KARL   Eure Hofstatt ist
Der Sitz der Minne, sagt man, und der Markt
Wo alles Schöne muß den Stapel halten*.
BURGUND Wir sind ein handeltreibend Volk, mein König.
Was köstlich wächst in allen Himmelstrichen

(marginal notes, left column)

entledigen

Kusine

angeboten,
ausgestellt
werden

40 Wird ausgestellt zur Schau und zum Genuß
Auf unserm Markt zu Brügg*, das höchste aber
Von allen Gütern ist der Frauen Schönheit.

SOREL Der Frauen Treue gilt noch höhern Preis,
Doch auf dem Markte wird sie nicht gesehn.

45 KARL Ihr steht in bösem Ruf und Leumund* Vetter,
Daß ihr der Frauen schönste Tugend schmäht.

BURGUND Die Ketzerei* straft sich am schwersten selbst.
Wohl euch mein König! Früh hat euch das Herz,
Was mich ein wildes Leben spät, gelehrt!
er bemerkt den Erzbischof und reicht ihm die Hand.

50 Ehrwürdiger Mann Gottes! Euren Segen!
Euch trifft man immer auf dem rechten Platz,
Wer euch will finden, muß im Guten wandeln.

ERZBISCHOF Mein Meister rufe wenn er will, ⌐dies Herz
Ist freudensatt und ich kann fröhlich scheiden,

55 Da meine Augen diesen Tag gesehn⌐!

BURGUND *zur Sorel:*
Man spricht, ihr habt euch, eurer edeln Steine
Beraubt, um Waffen gegen mich daraus
Zu schmieden? Wie? Seid ihr so kriegerisch
Gesinnt? War's euch so ernst mich zu verderben?

60 Doch unser Streit ist nun vorbei, es findet
Sich alles wieder, was verloren war,
Auch euer Schmuck hat sich zurück gefunden,
Zum Kriege wider mich war er bestimmt,
Nehmt ihn aus meiner Hand zum Friedenszeichen.
er empfängt von einem seiner Begleiter das Schmuckkäst-
chen und überreicht es ihr geöffnet. Agnes Sorel sieht den
König betroffen an.

65 KARL Nimm das Geschenk, es ist ein zweifach teures Pfand
Der schönen Liebe mir und der Versöhnung.

BURGUND *indem er eine brillantne Rose in ihre Haare*
steckt:
Warum ist es nicht Frankreichs Königskrone?

Brügge, Hansestadt in Flandern

Nachrede

Von der Kirchenlehre abweichende Haltung

Ich würde sie mit gleich geneigtem Herzen
Auf diesem schönen Haupt befestigen.

ihre Hand bedeutend fassend

Und – zählt auf mich, wenn ihr dereinst des Freundes   19
Bedürfen solltet!

Agnes Sorel in Tränen ausbrechend tritt auf die Seite,
auch der König bekämpft eine große Bewegung, alle Um-
stehende blicken gerührt auf beide Fürsten.

BURGUND *nachdem er alle der Reihe nach angesehen,*
wirft er sich in die Arme des Königs:

> O mein König!

in demselben Augenblick eilen die drei burgundischen
Ritter auf Dünois, La Hire und den Erzbischof zu und
umarmen einander. Beide Fürsten liegen eine Zeitlang
einander sprachlos in den Armen

Euch konnt' ich hassen! Euch konnt' ich entsagen!

KARL Still! Still! Nicht weiter!

BURGUND   Diesen Engelländer
Konnt' ich krönen! Diesem Fremdling Treue schwören!
Euch meinen König in's Verderben stürzen!   19

KARL Vergeßt es! Alles ist verziehen. Alles
Tilgt dieser einz'ge Augenblick. Es war

Stern   Ein Schicksal, ein unglückliches Gestirn*!

BURGUND *faßt seine Hand:*
Ich will gut machen! Glaubet mir, ich will's.
Alle Leiden sollen euch erstattet werden,   19
Euer ganzes Königreich sollt ihr zurück
Empfangen – nicht ein Dorf soll daran fehlen!

KARL Wir sind vereint. Ich fürchte keinen Feind mehr.

BURGUND Glaubt mir, ich führte nicht mit frohem Herzen
Die Waffen wider euch. O wüßtet ihr –   19
Warum habt ihr mir d i e s e nicht geschickt?

auf die Sorel zeigend.

Nicht widerstanden hätt' ich ihren Tränen!
– Nun soll uns keine Macht der Hölle mehr

Entzweien, da wir Brust an Brust geschlossen!
90 Jetzt hab' ich meinen wahren Ort gefunden,
An diesem Herzen endet meine Irrfahrt.
ERZBISCHOF *tritt zwischen beide:*
Ihr seid vereinigt, Fürsten! Frankreich steigt
Ein neu verjüngter ⌐Phönix⌐ aus der Asche,
Uns lächelt eine schöne Zukunft an.
95 Des Landes tiefe Wunden werden heilen,
Die Dörfer, die verwüsteten, die Städte
Aus ihrem Schutt sich prangender erheben,
Die Felder decken sich mit neuem Grün –
Doch, die das Opfer eures Zwists gefallen,
00 Die Toten stehen nicht mehr auf, die Tränen,
Die eurem Streit geflossen, sind und bleiben
Geweint! Das kommende Geschlecht wird blühen,
Doch das vergangne war des Elends Raub,
Der Enkel Glück erweckt nicht mehr die Väter.
05 Das sind die Früchte eures Bruderzwists!
Laßt's euch zur Lehre dienen! Fürchtet die Gottheit
Des Schwerts, eh' ihr's der Scheid' entreißt. Loslassen
Kann der Gewaltige den Krieg, doch nicht
Gelehrig wie der Falk sich aus den Lüften
10 Zurückschwingt auf des Jägers Hand, gehorcht
Der wilde Gott dem Ruf der Menschenstimme.
Nicht zweimal kommt im rechten Augenblick
Wie heut die Hand des Retters aus den Wolken.
BURGUND O Sire! Euch wohnt ein Engel an der Seite.
15 – Wo ist sie? Warum seh ich sie nicht hier?
KARL Wo ist Johanna? Warum fehlt sie uns
In diesem festlich schönen Augenblick,
Den sie uns schenkte?
ERZBISCHOF   Sire! Das heil'ge Mädchen
Liebt nicht die Ruhe eines müß'gen Hofs,
20 Und ruft sie nicht der göttliche Befehl
An's Licht der Welt hervor, so meidet sie

Verschämt den eitlen* Blick gemeiner* Augen!
Gewiß bespricht sie sich mit Gott, wenn sie
Für Frankreichs Wohlfahrt nicht geschäftig ist,
Denn allen ihren Schritten folgt der Segen.   20

⟨*Vierter Auftritt*⟩

Rüstung *Johanna zu den Vorigen. Sie ist im Harnisch* aber ohne*
Helm, und trägt einen Kranz in den Haaren.
KARL Du kommst als ⌈Priesterin geschmückt⌉ Johanna,
Den Bund, den du gestiftet, einzuweihn?
BURGUND Wie schrecklich war die Jungfrau in der
                                                        Schlacht,
Und wie umstrahlt mit Anmut sie der Friede!
– Hab' ich mein Wort gelös't Johanna? Bist du   20
Befriedigt und verdien' ich deinen Beifall?
JOHANNA Dir selbst hast du die größte Gunst erzeigt.
Jetzt schimmerst du in segenvollem Licht,
Da du vorhin in blutrotdüsterm Schein
Ein Schreckensmond an diesem Himmel hingst.   20
sich umschauend.
Viel edle Ritter find' ich hier versammelt
Und alle Augen glänzen freudenhell,
Nur Einem Traurigen hab' ich begegnet,
Der sich verbergen muß, wo alles jauchzt.
BURGUND Und wer ist sich so schwerer Schuld bewußt,   20
Daß er an unsrer Huld verzweifeln müßte?
JOHANNA Darf er sich nahn? O sage, daß er's darf?
Mach dein Verdienst vollkommen. Eine Versöhnung
Ist keine, die das Herz nicht ganz befreit.
Ein Tropfe Haß, der in dem Freudenbecher   20
Zurückbleibt, macht den Segenstrank zum Gift.
– Kein Unrecht sei so blutig, daß Burgund
An diesem Freudentag es nicht vergebe!

BURGUND Ha, ich verstehe dich!

JOHANNA   Und willst verzeihn?

Du willst es, Herzog? – Komm herein, Dü Chatel!

Sie öffnet die Tür und führt Dü Chatel herein, dieser
bleibt in der Entfernung stehen.

Der Herzog ist mit seinen Feinden allen
Versöhnt, er ist es auch mit dir.

Dü Chatel tritt einige Schritte näher und sucht in den
Augen des Herzogs zu lesen.

BURGUND   Was machst du

Aus mir, Johanna? Weißt du was du foderst?

JOHANNA ⌈Ein güt'ger Herr tut seine Pforten auf
Für alle Gäste, keinen schließt er aus;
Frei wie das Firmament die Welt umspannt,
So muß die Gnade Freund und Feind umschließen.
Es schickt die Sonne ihre Strahlen gleich
Nach allen Räumen der Unendlichkeit,
Gleichmessend gießt der Himmel seinen Tau
Auf alle durstenden Gewächse aus.
Was irgend gut ist und von oben kommt,
Ist allgemein und ohne Vorbehalt⌉,
Doch in den Falten wohnt die Finsternis!

BURGUND O sie kann mit mir schalten wie sie will,
Mein Herz ist weiches Wachs in ihrer Hand.
– Umarmt mich Dü Chatel; Ich vergeb' euch.
Geist meines Vaters zürne nicht, wenn ich
Die Hand, die dich getötet, freundlich fasse.
Ihr Todesgötter*, rechnet mir's nicht zu,   Vgl. Erl. zu
Daß ich mein schrecklich Rachgelübde breche.   V. 2026
Bei euch dort unten in der ew'gen Nacht,
Da schlägt kein Herz mehr, da ist alles ewig,
Steht alles unbeweglich fest – doch anders
Ist es hier oben in der Sonne Licht.
Der Mensch ist, der lebendig fühlende,
Der leichte Raub des mächt'gen Augenblicks.

KARL *zur Johanna:*
Was dank ich dir nicht alles hohe Jungfrau!
Wie schön hast du dein Wort gelös't!
Wie schnell mein ganzes Schicksal umgewandelt!   2⏺
Die Freunde hast du mir versöhnt, die Feinde
Mir in den Staub gestürzt, und meine Städte
Dem fremden Joch entrissen. – Du allein
Vollbrachtest alles. – Sprich wie lohn ich dir!
JOHANNA Sei immer menschlich Herr im Glück, wie du's   2
Im Unglück warst – und auf der Größe Gipfel
Vergiß nicht, was ein Freund wiegt in der Not,
Du hast's in der Erniedrigung erfahren.
Verweigre nicht Gerechtigkeit und Gnade
Dem letzten deines Volks, denn von der Herde   2⏺
Berief dir Gott die Retterin – ⌐du wirst
Ganz Frankreich sammeln unter deinen Zepter,
Der Ahn- und Stammherr großer Fürsten sein,
Die nach dir kommen, werden heller leuchten,
Als die dir auf dem Thron vorangegangen.   2⏺
Dein Stamm wird blühn, so lang er sich die Liebe
Bewahrt im Herzen seines Volks,
Der Hochmut nur kann ihn zum Falle führen,
Und von den niedern Hütten, wo dir jetzt
Der Retter ausging, droht geheimnisvoll   2⌐
Den schuldbefleckten Enkeln das Verderben!
BURGUND Erleuchtet Mädchen, das der Geist beseelt,
Wenn deine Augen in die Zukunft dringen,
So sprich mir auch von meinem Stamm! Wird er
Sich herrlich breiten wie er angefangen?   2⌐
JOHANNA Burgund! Hoch bis zu Throneshöhe hast
Du deinen Stuhl gesetzt, und höher strebt
Das stolze Herz, es hebt bis in die Wolken
Den kühnen Bau. – ⌐Doch eine Hand von oben
Wird seinem Wachstum schleunig Halt gebieten.⌐   2⌐
Doch fürchte drum nicht deines Hauses Fall!

In einer Jungfrau lebt es glänzend fort,
Und Zeptertragende Monarchen, Hirten
Der Völker werden ihrem Schoß entblühn.
15 Sie werden herrschen auf zwei großen Thronen,
Gesetze schreiben der bekannten Welt
Und einer neuen, welche Gottes Hand
Noch zudeckt hinter unbeschifften Meeren.⌐

KARL O sprich, wenn es der Geist dir offenbaret,
20 Wird dieses Freundesbündnis, das wir jetzt
Erneut, auch noch die späten Enkelsöhne
Vereinigen?

JOHANNA *nach einem Stillschweigen:*
              Ihr Könige und Herrscher!
Fürchtet die Zwietracht! Wecket nicht den Streit
Aus seiner Höhle wo er schläft, denn Einmal
25 Erwacht bezähmt er spät sich wieder! Enkel
Erzeugt er sich, ein eisernes Geschlecht,
Fortzündet an dem Brande sich der Brand.
– Verlangt nicht mehr zu wissen! Freuet euch
Der Gegenwart, laßt mich die Zukunft still
30 Bedecken!

SOREL   Heilig Mädchen, du erforschest
Mein Herz, du weißt ob es nach Größe eitel strebt,
Auch mir gib ein erfreuliches Orakel.

JOHANNA Mir zeigt der Geist nur große Weltgeschicke,
Dein Schicksal ruht in deiner eignen Brust!

35 DÜNOIS Was aber wird dein eigen Schicksal sein,
Erhabnes Mädchen, das der Himmel liebt!
Dir blüht gewiß das schönste Glück der Erden,
Da du so fromm und heilig bist.

JOHANNA   Das Glück
Wohnt droben in dem Schoß des ew'gen Vaters.

40 KARL Dein Glück sei fortan deines Königs Sorge!
Denn deinen Namen will ich herrlich machen
In Frankreich, selig preisen sollen dich

Die spätesten Geschlechter – und gleich jetzt
Erfüll' ich es. – Knie nieder!
er zieht das Schwert und berührt sie mit dem selben.
                         Und steh auf
Als eine Edle! Ich erhebe dich,   21
Dein König, aus dem Staube deiner dunkeln
Geburt – Im Grabe adl' ich deine Väter –
Du sollst die Lilie im ⌐Wappen⌐ tragen,
Den Besten sollst du ebenbürtig sein
In Frankreich, nur das königliche Blut   21
Von Valois sei edler als das deine!
Der Größte meiner Großen fühle sich
Durch deine Hand geehrt, mein sei die Sorge
Dich einem edeln Gatten zu vermählen.

DÜNOIS *tritt vor:*
Mein Herz erkor sie, da sie niedrig war,   21
Die neue Ehre, die ihr Haupt umglänzt,
Erhöht nicht ihr Verdienst, noch meine Liebe.
Hier in dem Angesicht meines Königs
Und dieses heil'gen Bischofs reich' ich ihr
Die Hand als meiner fürstlichen Gemahlin,   2⫶
Wenn sie mich würdig hält, sie zu empfangen.

KARL Unwiderstehlich Mädchen, du häufst Wunder
Auf Wunder! Ja, nun glaub' ich, daß dir nichts
Unmöglich ist. Du hast dies stolze Herz
Bezwungen, das der Liebe Allgewalt   21
Hohn sprach bis jetzt.

LA HIRE *tritt vor:*   Johannas schönster Schmuck,
Kenn' ich sie recht, ist ihr bescheidnes Herz.
Der Huldigung des Größten ist sie wert,
Doch nie wird sie den Wunsch so hoch erheben.
Sie strebt nicht schwindelnd ird'scher Hoheit nach,   21
Die treue Neigung eines redlichen
Gemüts genügt ihr, und das stille Los,
Das ich mit dieser Hand ihr anerbiete.

KARL Auch du La Hire? Zwei treffliche Bewerber
75 An Heldentugend gleich und Kriegesruhm!
   – Willst du, die meine Feinde mir versöhnt,
   Mein Reich vereinigt, mir die liebsten Freunde
   Entzwein? Es kann sie Einer nur besitzen,
   Und jeden acht' ich solches Preises wert.
80 So rede du, dein Herz muß hier entscheiden.
   SOREL *tritt näher:*
   Die edle Jungfrau seh ich überrascht
   Und ihre Wangen färbt die zücht'ge Scham.
   Man geb' ihr Zeit, ihr Herz zu fragen, sich
   Der Freundin zu vertrauen und das Siegel
85 Zu lösen von der fest verschloßnen Brust.
   Jetzt ist der Augenblick gekommen, wo
   Auch ich der strengen Jungfrau schwesterlich
   Mich nahen, ihr den treu verschwiegnen Busen
   Darbieten darf. – Man laß uns weiblich erst
90 Das weibliche bedenken und erwarte
   Was wir beschließen werden.
   KARL *im Begriff zu gehen:*   Also sei's!
   JOHANNA Nicht also Sire! Was meine Wangen färbte,
   War die Verwirrung nicht der blöden Scham*.   der Schüch-
                                                        ternheit
   Ich habe dieser edeln Frau nichts zu vertraun,
95 Des' ich vor Männern mich zu schämen hätte.
   Hoch ehrt mich dieser edeln Ritter Wahl,
   Doch nicht verließ ich meine Schäfertrift,
   Um weltlich eitle Hoheit zu erjagen,
   Noch mir den Brautkranz in das Haar zu flechten,
100 Legt' ich die ehrne Waffenrüstung an.
   Berufen bin ich zu ganz anderm Werk,
   Die reine Jungfrau nur kann es vollenden.
   Ich bin die Kriegerin des höchsten Gottes,
   Und keinem Manne kann ich Gattin sein.
105 ERZBISCHOF Dem Mann zur liebenden Gefährtin ist
   Das Weib geboren – wenn sie der Natur

Gehorcht, dient sie am würdigsten dem Himmel!
Und hast du dem Befehle deines Gottes,
Der in das Feld dich rief, genug getan,
So wirst du deine Waffen von dir legen,   22
Und wiederkehren zu dem sanfteren
Geschlecht, das du verleugnet hast, das nicht
Berufen ist zum blut'gen Werk der Waffen.

JOHANNA Ehrwürd'ger Herr, ich weiß noch nicht zu sagen,
Was mir der Geist gebieten wird zu tun;   22
Doch wenn die Zeit kommt, wird mir seine Stimme
Nicht schweigen, und gehorchen werd' ich ihr.
Jetzt aber heißt er mich mein Werk vollenden,
Die Stirne meines Herren ist noch nicht
Gekrönt, das ⌐heil'ge Öl⌐ hat seine Scheitel   22
Noch nicht benetzt, noch heißt mein Herr nicht König.

KARL Wir sind begriffen auf dem Weg nach Rheims.

JOHANNA Laß uns nicht still stehn, denn geschäftig sind
Die Feinde rings, den Weg dir zu verschließen.
Doch mitten durch sie alle führ' ich dich!   22

DÜNOIS Wenn aber alles wird vollendet sein,
Wenn wir zu Rheims nun siegend eingezogen,
Wirst du mir dann vergönnen, heilig Mädchen –

JOHANNA Will es der Himmel, daß ich sieggekrönt
Aus diesem Kampf des Todes wiederkehre,   22
So ist mein Werk vollendet – und die Hirtin
Hat kein Geschäft mehr in des Königs Hause.

KARL *ihre Hand fassend:*
Dich treibt des Geistes Stimme jetzt, es schweigt
Die Liebe in dem Gotterfüllten Busen.
Sie wird nicht immer schweigen, glaube mir!   22
Die Waffen werden ruhn, es führt der Sieg
Den Frieden an der Hand, dann kehrt die Freude
In jeden Busen ein, und sanftere
Gefühle wachen auf in allen Herzen –
Sie werden auch in deiner Brust erwachen,   22

Und Tränen süßer Sehnsucht wirst du weinen,
Wie sie dein Auge nie vergoß – dies Herz,
Das jetzt der Himmel ganz erfüllt, wird sich
Zu einem ird'schen Freunde liebend wenden –
45 Jetzt hast du rettend Tausende beglückt,
Und Einen zu beglücken wirst du enden!
JOHANNA Dauphin! Bist du der göttlichen Erscheinung
Schon müde, daß du ihr Gefäß zerstören,
Die reine Jungfrau, die dir Gott gesendet,
50 Herab willst ziehn in den gemeinen Staub?
Ihr blinden Herzen! ⌈Ihr Kleingläubigen!⌉
Des Himmels Herrlichkeit umleuchtet euch,
Vor eurem Aug' enthüllt er seine Wunder,
Und ihr erblickt in mir nichts als ein Weib.
55 Darf sich ein Weib mit kriegerischem Erz
Umgeben, in die Männerschlacht sich mischen?
Weh mir, wenn ich das Rachschwert meines Gottes
In Händen führte, und im eiteln Herzen
Die Neigung trüge zu dem ird'schen Mann!
60 Mir wäre besser, ich wär' nie geboren!
Kein solches Wort mehr sag' ich euch, wenn ihr
Den Geist in mir nicht zürnend wollt entrüsten!
Der Männer Auge schon, das mich begehrt,
Ist mir ein Grauen und Entheiligung.
65 KARL Brecht ab. Es ist umsonst sie zu bewegen.
JOHANNA Befiehl, daß man die Kriegstrommete blase!
Mich preßt und ängstigt diese Waffenstille,
Es jagt mich auf aus dieser müß'gen Ruh,
Und treibt mich fort, daß ich mein Werk erfülle,
70 Gebietrisch mahnend meinem Schicksal zu.

⟨*Fünfter Auftritt*⟩

Ein Ritter tritt auf.

KARL Was ist's?

RITTER   Der Feind ist über die Marne gegangen,
Und stellt sein Heer zum Treffen.

JOHANNA *begeistert:*   Schlacht und Kampf!
Jetzt ist die Seele ihrer Banden frei.
Bewaffnet euch, ich ordn' indes die Scharen.
sie eilt hinaus.

KARL Folgt ihr La Hire – Sie wollen uns am Tore   22
Von Rheims noch um die Krone kämpfen lassen!

DÜNOIS Sie treibt nicht wahrer Mut. Es ist der letzte
Versuch ohnmächtig wütender Verzweiflung.

KARL Burgund, euch sporn ich nicht. Heut ist der Tag,
Um viele böse Tage zu vergüten.   22

BURGUND Ihr sollt mit mir zufrieden sein.

KARL   Ich selbst
Will euch voran gehn auf dem Weg des Ruhms,
Und in dem Angesicht der Krönungsstadt
Die Krone mir erfechten. – Meine Agnes!
Dein Ritter sagt dir Lebewohl!   22

AGNES *umarmt ihn:*
Ich weine nicht, ich zittre nicht für dich,
Mein Glaube greift vertrauend in die Wolken!
So viele Pfänder seiner Gnade gab
Der Himmel nicht, daß wir am Ende trauern!
Vom Sieg gekrönt umarm ich meinen Herrn,   22
Mir sagt's das Herz, in Rheims bezwungnen Mauern.
Trompeten erschallen mit mutigem Ton und gehen, wäh-
rend daß verwandelt wird, in ein wildes Kriegsgetümmel
über, das Orchester fällt ein bei offener Szene und wird
von kriegerischen Instrumenten hinter der Szene beglei-
tet.
Der Schauplatz verwandelt sich in eine freie Gegend, die

von Bäumen begrenzt wird. Man sieht während der Mu-
sik Soldaten über den Hintergrund schnell wegziehen.

⟨Sechster Auftritt⟩

Talbot auf Fastolf gestützt und von Soldaten begleitet.
TALBOT Hier unter diesen Bäumen setzt mich nieder,
  Und ihr begebt euch in die Schlacht zurück,
  Ich brauche keines Beistands um zu sterben.
5 FASTOLF O unglückselig jammervoller Tag!
  Lionel tritt auf.
  Zu welchem Anblick kommt ihr Lionel!
  Hier liegt der Feldherr auf den Tod verwundet.
LIONEL Das wolle Gott nicht! Edler Lord steht auf!
  Jetzt ist's nicht Zeit, ermattet hinzusinken.
10 Weicht nicht dem Tod, gebietet der Natur
  Mit eurem mächt'gen Willen, daß sie lebe!
TALBOT Umsonst! Der Tag des Schicksals ist gekommen,
  Der unsern Thron in Frankreich stürzen soll.
  Vergebens in verzweiflungsvollem Kampf
15 Wagt' ich das letzte noch, ihn abzuwenden.
  Vom Strahl dahin geschmettert lieg ich hier,
  Um nicht mehr aufzustehn. – Rheims ist verloren,
  So eilt Paris zu retten!
LIONEL Paris hat sich vertragen mit dem Dauphin,
20 So eben bringt ein Eilbot uns die Nachricht.
TALBOT *reißt den Verband ab:*
  So strömet hin ihr Bäche meines Bluts,
  Denn überdrüssig bin ich dieser Sonne!
LIONEL
  Ich kann nicht bleiben. – Fastolf, bringt den Feldherrn
  An einen sichern Ort, wir können uns
25 Nicht lange mehr auf diesem Posten halten.
  Die Unsern fliehen schon von allen Seiten,
  Unwiderstehlich dringt das Mädchen vor –

TALBOT Unsinn, du siegst und ich muß untergehn!
Mit der Dummheit kämpfen Götter selbst vergebens.
Erhabene Vernunft, ⌐lichthelle Tochter   2.
Des göttlichen Hauptes⌐, weise Gründerin
Des Weltgebäudes, Führerin der Sterne,
Wer bist du denn, wenn du dem tollen Roß
Des Aberwitzes an den Schweif gebunden,
Ohnmächtig rufend, mit dem Trunkenen   2.
Dich sehend in den Abgrund stürzen mußt!
Verflucht sei, wer sein Leben an das Große
Pläne   Und Würd'ge wendet und bedachte Plane*
Mit weisem Geist entwirft! Dem Narrenkönig
Gehört die Welt –   2.
LIONEL   Mylord! Ihr habt nur noch
Für wenig Augenblicke Leben – denkt
An euren Schöpfer!
TALBOT   Wären wir als Tapfre
Durch andre Tapfere besiegt, wir könnten
Uns trösten mit dem allgemeinen Schicksal,
Das immer wechselnd seine Kugel dreht –   2.
Doch solchem groben Gaukelspiel erliegen!
War unser ernstes arbeitvolles Leben
Keines ernsthaftern Ausgangs wert?
LIONEL *reicht ihm die Hand:*
Mylord fahrt wohl! Der Tränen schuld'gen Zoll
Will ich euch redlich nach der Schlacht entrichten,   2.
Wenn ich alsdann noch übrig bin. Jetzt aber
Ruft das Geschick mich fort, das auf dem Schlachtfeld
Noch richtend sitzt und seine Lose schüttelt.
Auf Wiedersehn in einer andern Welt,
Kurz ist der Abschied für die lange Freundschaft.   2.
geht ab.
TALBOT Bald ist's vorüber und der Erde geb' ich,
Der ew'gen Sonne die Atome wieder,
Die sich zu Schmerz und Lust in mir gefügt –

Und von dem mächt'gen Talbot, der die Welt
50 Mit seinem Kriegsruhm füllte, bleibt nichts übrig,
Als eine Handvoll leichten Staubs. – So geht
Der Mensch zu Ende – und die einzige
Ausbeute, die wir aus dem Kampf des Lebens
Wegtragen, ist die Einsicht in das Nichts,
55 Und herzliche Verachtung alles dessen
Was uns erhaben schien und wünschenswert –

⟨*Siebenter Auftritt*⟩

*Karl. Burgund. Dünois. Dü Chatel und Soldaten treten
auf.*
BURGUND Die Schanze ist erstürmt.
DÜNOIS   Der Tag ist unser.
KARL *Talbot bemerkend:*
Seht, wer es ist der dort vom Licht der Sonne
Den unfreiwillig schweren Abschied nimmt?
60 Die Rüstung zeigt mir keinen schlechten Mann,
Geht, springt ihm bei, wenn ihm noch Hülfe frommt.
Soldaten aus des Königs Gefolge treten hinzu.
FASTOLF Zurück! Bleibt fern! Habt Achtung vor dem Toten,
Dem ihr im Leben nie zu nahn gewünscht!
BURGUND Was seh ich! Talbot liegt in seinem Blut!
er geht auf ihn zu. Talbot blickt ihn starr an und stirbt.
65 FASTOLF Hinweg Burgund! Den letzten Blick des Helden
Vergifte nicht der Anblick des Verräters!
DÜNOIS Furchtbarer Talbot! Unbezwinglicher!
Nimmst du vorlieb mit so geringem Raum,
Und Frankreichs weite Erde konnte nicht
70 Dem Streben deines Riesengeistes gnügen.
– Erst jetzo, Sire, begrüß ich euch als König,
Die Krone zitterte auf eurem Haupt,
Solang ein Geist in diesem Körper lebte.

KARL *nachdem er den Toten stillschweigend betrachtet:*
Ihn hat ein Höherer besiegt, nicht wir!
Er liegt auf Frankreichs Erde, wie der Held   23
Auf seinem Schild, den er nicht lassen wollte.
Bringt ihn hinweg!
Soldaten heben den Leichnam auf und tragen ihn fort.
                Fried' sei mit seinem Staube!
Ihm soll ein ehrenvolles Denkmal werden,
Mitten in Frankreich, wo er seinen Lauf
Als Held geendet, ruhe sein Gebein!   23
So weit als er, drang noch kein feindlich Schwert,
Seine Grabschrift sei der Ort, wo man ihn findet.
FASTOLF *gibt sein Schwert ab:*
Sire, ich bin euer Gefangener.
KARL *gibt ihm sein Schwert zurück:*
                Nicht also!
Die fromme Pflicht ehrt auch der rohe Krieg,
Frei sollt ihr eurem Herrn zu Grabe folgen.   23
Jetzt eilt Dü Chatel – Meine Agnes zittert –
Entreißt sie ihrer Angst um uns – Bringt ihr
Die Botschaft, daß wir leben, daß wir siegten,
Und führt sie im Triumph nach Rheims!
Dü Chatel geht ab.

⟨Achter Auftritt⟩

La Hire zu den Vorigen.
DÜNOIS   La Hire!
Wo ist die Jungfrau?   23
LA HIRE   Wie? Das frag' ich euch.
An Eurer Seite fechtend ließ ich sie.
DÜNOIS Von Eurem Arme glaubt ich sie beschützt,
Als ich dem König beizuspringen eilte.
BURGUND Im dichtsten Feindeshaufen sah ich noch
Vor kurzem ihre weiße Fahne wehn.   23

DÜNOIS Weh uns, wo ist sie? Böses ahndet mir!
Kommt, eilen wir sie zu befrein. – Ich fürchte,
Sie hat der kühne Mut zu weit geführt,
Umringt von Feinden kämpft sie ganz allein,
00 Und hülflos unterliegt sie jetzt der Menge.
KARL Eilt, rettet sie!
LA HIRE   Ich folg' euch, kommt!
BURGUND   Wir alle!
sie eilen fort.
Eine andre öde Gegend des Schlachtfelds. Man sicht die
Türme von Rheims in der Ferne.

⟨*Neunter Auftritt*⟩

Ein Ritter in ganz schwarzer Rüstung, mit geschloßnem
Visier. Johanna verfolgt ihn bis auf die vordere Bühne, wo
er stille steht und sie erwartet.
JOHANNA Arglist'ger! Jetzt erkenn' ich deine Tücke!
Du hast mich trüglich durch verstellte Flucht
Vom Schlachtfeld weggelockt und Tod und Schicksal
05 Von vieler Britensöhne Haupt entfernt.
Doch jetzt ereilt dich selber das Verderben.
SCHWARZER RITTER
Warum verfolgst du mich und heftest dich
So wutentbrannt an meine Fersen? Mir
Ist nicht bestimmt, von deiner Hand zu fallen.
10 JOHANNA Verhaßt in tiefer Seele bist du mir,
Gleich wie die Nacht, die deine Farbe ist.
Dich weg zu tilgen von dem Licht des Tags
Treibt mich die unbezwingliche Begier.
Wer bist du? Öffne dein Visier. – Hätt' ich
15 Den kriegerischen Talbot in der Schlacht
Nicht fallen sehn, so sagt' ich, du wärst Talbot.
SCHWARZER RITTER
Schweigt dir die Stimme des Prophetengeistes?

JOHANNA Sie redet laut in meiner tiefsten Brust,
Daß mir das Unglück an der Seite steht.

SCHWARZER RITTER Johanna d'Arc! Bis an die Tore 24
Rheims
Bist du gedrungen auf des Sieges Flügeln.
Dir gnüge der erworbne Ruhm. Entlasse
Das Glück, das dir als Sklave hat gedient,
Eh es sich zürnend selbst befreit, es haßt
Die Treu und keinem dient es bis an's Ende. 24

JOHANNA Was heißest du in Mitte meines Laufs
Mich stille stehen und mein Werk verlassen?
Ich führ' es aus und löse mein Gelübde!

SCHWARZER RITTER
Nichts kann dir, du gewalt'ge, widerstehn,
In jedem Kampfe siegst du. – Aber gehe 24
In keinen Kampf mehr. Höre meine Warnung!

JOHANNA Nicht aus den Händen leg' ich dieses Schwert,
Als bis das stolze England niederliegt.

SCHWARZER RITTER
Schau hin! Dort hebt sich Rheims mit seinen Türmen,
Das Ziel und Ende deiner Fahrt – die Kuppel 24
Der hohen Kathedrale siehst du leuchten,
Dort wirst du einziehn im Triumphgepräng,
Deinen König krönen, dein Gelübde lösen.
– Geh nicht hinein. Kehr' um. Hör' meine Warnung.

JOHANNA Wer bist du doppelzüngig falsches Wesen, 24
Das mich erschrecken und verwirren will?
Was maßest du dir an, mir falsch Orakel
Betrüglich zu verkündigen?
Der schwarze Ritter will abgehen, sie tritt ihm in den Weg.
Nein, du stehst
Mir Rede, oder stirbst von meinen Händen!
Sie will einen Streich auf ihn führen.

SCHWARZER RITTER *berührt sie mit der Hand, sie bleibt
unbeweglich stehen:*

45 Töte was sterblich ist!
    Nacht, Blitz und Donnerschlag. Der Ritter versinkt.
    JOHANNA *steht anfangs erstaunt, faßt sich aber bald wieder:*
    Es war nichts lebendes. – Ein trüglich Bild
    Der Hölle war's, ein widerspenst'ger Geist,
    Herauf gestiegen aus dem Feuerpfuhl,
    Mein edles Herz im Busen zu erschüttern.
50 Wen fürcht' ich mit dem Schwerte meines Gottes?
    Siegreich vollenden will ich meine Bahn,
    Und käm' die Hölle selber in die Schranken,
    Mir soll der Mut nicht weichen und nicht wanken!
    sie will abgehen.

⟨Zehnter Auftritt⟩

Lionel tritt auf.
LIONEL Verfluchte rüste dich zum Kampf – Nicht beide
55 Verlassen wir lebendig diesen Platz.
    Du hast die besten meines Volks getötet,
    Der edle Talbot hat die große Seele
    In meinen Busen ausgehaucht. – Ich räche
    Den Tapfern oder teile sein Geschick.
60 Und daß du wissest, wer dir Ruhm verleiht,
    Er sterbe oder siege – Ich bin Lionel,
    Der letzte von den Fürsten unsers Heers,
    Und unbezwungen noch ist dieser Arm.
    *er dringt auf sie ein, nach einem kurzen Gefecht schlägt
    sie ihm das Schwert aus der Hand.*
    Treuloses Glück!
    er ringt mit ihr.
    JOHANNA *ergreift ihn von hinten zu am Helmbusch und
    reißt ihm den Helm gewaltsam herunter, daß sein Gesicht
    entblößt wird, zugleich zuckt sie das Schwert mit der
    Rechten:*
                    Erleide, was du suchtest,

Die heil'ge Jungfrau opfert dich durch mich!   24

in diesem Augenblicke sieht sie ihm in's Gesicht, sein An-
blick ergreift sie, sie bleibt unbeweglich stehen und läßt
dann langsam den Arm sinken.

LIONEL Was zauderst du und hemmst den Todesstreich?
Nimm mir das Leben auch, du nahmst den Ruhm,
Ich bin in deiner Hand, ich will nicht Schonung.
sie gibt ihm ein Zeichen mit der Hand, sich zu entfernen.
Entfliehen soll ich? Dir soll ich mein Leben
Verdanken? – Eher sterben!   24

JOHANNA *mit abgewandtem Gesicht:*
Ich will nichts davon wissen, daß dein Leben
In meine Macht gegeben war.

LIONEL Ich hasse dich und dein Geschenk – Ich will
Nicht Schonung – Töte deinen Feind, der dich
Verabscheut, der dich töten wollte.   24

JOHANNA   Töte mich
– Und fliehe!

LIONEL   Ha! Was ist das?

JOHANNA *verbirgt das Gesicht:* Wehe mir!

LIONEL *tritt ihr näher:*
Du tötest, sagt man, alle Engelländer,
Die du im Kampf bezwingst – Warum nur mich
Verschonen?

JOHANNA *erhebt das Schwert mit einer raschen Bewe-*
gung gegen ihn, läßt es aber, wie sie ihn in's Gesicht faßt,
schnell wieder sinken.
                Heil'ge Jungfrau!

LIONEL   Warum nennst du
Die Heil'ge? Sie weiß nichts von dir, der Himmel   24
Hat keinen Teil an dir.

JOHANNA *in der heftigsten Beängstigung:*
                    Was hab' ich
Getan! Gebrochen hab' ich mein Gelübde!
sie ringt verzweifelnd die Hände.

98

LIONEL *betrachtet sie mit Teilnahme und tritt ihr näher:*
Unglücklich Mädchen! Ich beklage dich,
Du rührst mich, du hast Großmut ausgeübt
85 An mir allein, ich fühle, daß mein Haß
Verschwindet, ich muß Anteil an dir nehmen!
– Wer bist du? Woher kommst du?

JOHANNA   Fort! Entfliehe!

LIONEL
Mich jammert deine Jugend*, deine Schönheit!
Dein Anblick dringt mir an das Herz. Ich möchte
90 Dich gerne retten – Sage mir, wie kann ich's!
Komm! Komm! Entsage dieser gräßlichen
Verbindung – Wirf sie von dir diese Waffen!

JOHANNA Ich bin unwürdig, sie zu führen!

LIONEL   Wirf
Sie von dir, schnell, und folge mir!

JOHANNA *mit Entsetzen:*   Dir folgen!

95 LIONEL Du kannst gerettet werden. Folge mir!
Ich will dich retten, aber säume nicht.
Mich faßt ein ungeheurer Schmerz um dich,
Und ein unnennbar Sehnen, dich zu retten –
bemächtigt sich ihres Armes.

JOHANNA Der Bastard naht! Sie sind's! Sie suchen mich!
00 Wenn sie dich finden –

LIONEL   Ich beschütze dich!

JOHANNA Ich sterbe, wenn du fällst von ihren Händen!

LIONEL Bin ich dir teuer?

JOHANNA   Heilige des Himmels!

LIONEL Werd' ich dich wiedersehen? Von dir hören?

JOHANNA Nie! Niemals!

LIONEL   Dieses Schwert zum Pfand,
                                       daß ich
05 Dich wiedersehe!
er entreißt ihr das Schwert.

JOHANNA   Rasender du wagst es?

> Ich habe
> Mitleid
> mit deiner
> Jugend

LIONEL Jetzt weich ich der Gewalt, ich seh dich wieder!
er geht ab.

⟨*Elfter Auftritt*⟩

Dünois und La Hire kommen.
LA HIRE Sie lebt! Sie ist's!
DÜNOIS   Johanna, fürchte nichts!
  Die Freunde stehen mächtig dir zur Seite.
LA HIRE Flieht dort nicht Lionel?
DÜNOIS   Laß ihn entfliehn!
  Johanna, die gerechte Sache siegt,   25
  Rheims öffnet seine Tore, alles Volk
  Strömt jauchzend seinem Könige entgegen –
LA HIRE Was ist der Jungfrau? Sie erbleicht, sie sinkt!
Johanna schwindelt und will sinken.
  DÜNOIS Sie ist verwundet – Reißt den Panzer auf –
  Es ist der Arm und leicht ist die Verletzung.   25
LA HIRE Ihr Blut entfließt.
JOHANNA   Laßt es mit meinem Leben
  Hinströmen!
  sie liegt ohnmächtig in La Hire's Armen.

Vierter Aufzug

Ein festlich ausgeschmückter Saal, die Säulen sind mit Festons* umwunden, hinter der Szene Flöten und Hoboen*.

Blumen-girlanden

Oboen

⟨Erster Auftritt⟩

Johanna
> Die Waffen ruhn, des Krieges Stürme schweigen,
> Auf blut'ge Schlachten folgt Gesang und Tanz,
> Durch alle Straßen tönt der muntre Reigen,
> Altar und Kirche prangt in Festes Glanz,
> Und Pforten bauen sich aus grünen Zweigen,
> Und um die Säule windet sich der Kranz,
> Das weite Rheims faßt nicht die Zahl der Gäste,
> Die wallend strömen zu dem Völkerfeste.

> Und Einer Freude Hochgefühl entbrennet,
> Und Ein Gedanke schlägt in jeder Brust,
> Was sich noch jüngst in blut'gem Haß getrennet,
> Das teilt entzückt die allgemeine Lust,
> Wer nur zum Stamm der Franken sich bekennet,
> Der ist des Namens stolzer sich bewußt,
> Erneuert ist der Glanz der alten Krone,
> Und Frankreich huldigt seinem Königssohne.

> Doch mich, die all dies Herrliche vollendet,
> Mich rührt es nicht das allgemeine Glück,
> Mir ist das Herz verwandelt und gewendet,
> Es flieht von dieser Festlichkeit zurück,
> In's brit'sche Lager ist es hingewendet,
> Hinüber zu dem Feinde schweift der Blick,
> Und aus der Freude Kreis muß ich mich stehlen,
> Die schwere Schuld des Busens zu verhehlen.

Wer? Ich? Ich eines Mannes Bild
In meinem reinen Busen tragen?
Dies Herz, von Himmels Glanz erfüllt,
Darf einer ird'schen Liebe schlagen?
Ich meines Landes Retterin,
Des höchsten Gottes Kriegerin,
Für meines Landes Feind entbrennen!
Darf ich's der keuschen Sonne nennen,
Und mich vernichtet nicht die Scham!
Die Musik hinter der Szene geht in eine weiche schmel-
zende Melodie über.
Wehe! Weh mir! Welche Töne!
Wie verführen sie mein Ohr!
Jeder ruft mir seine Stimme,
Zaubert mir sein Bild hervor!

Daß der Sturm der Schlacht mich faßte,
Speere sausend mich umtönten
In des heißen Streites Wut!
Wieder fänd' ich meinen Mut!

Diese Stimmen, diese Töne,
Wie umstricken sie mein Herz,
Jede Kraft in meinem Busen
Lösen sie in weichem Sehnen,
Schmelzen sie in Wehmuts Tränen!
Nach einer Pause lebbafter.

Sollt' ich ihn töten? Konnt' ich's, da ich ihm
In's Auge sah? Ihn töten! Eher hätt' ich
Den Mordstahl auf die eigne Brust gezückt!
Und bin ich strafbar, weil ich menschlich war?
Ist Mitleid Sünde? – Mitleid! Hörtest du
Des Mitleids Stimme und der Menschlichkeit
Auch bei den andern, die dein Schwert geopfert?

Warum verstummte sie, als der Walliser* dich, Montgomery; vgl. V. 1653–1663
Der zarte Jüngling, um sein Leben flehte?
Arglistig Herz! Du lügst dem ew'gen Licht,
Dich trieb des Mitleids fromme Stimme nicht!
75 Warum mußt' ich ihm in die Augen sehn!
Die Züge schaun des edeln Angesichts!
Mit deinem Blick fing dein Verbrechen an
Unglückliche! Ein blindes Werkzeug fodert Gott,
Mit blinden Augen mußtest du's vollbringen!
80 Sobald du sahst, verließ dich Gottes Schild,
Ergriffen dich der Hölle Schlingen!
Die Flöten wiederholen, sie versinkt in eine stille Wehmut.

Frommer Stab!* O hätt' ich nimmer Hirtenstab
Mit dem Schwerte dich vertauscht!
Hätt' es nie in deinen Zweigen
85 Heil'ge Eiche! mir gerauscht!
Wärst du nimmer mir erschienen,
Hohe Himmelskönigin!
Nimm, ich kann sie nicht verdienen,
Deine Krone nimm sie hin!

90 Ach, ich sah den Himmel offen
Und der Sel'gen Angesicht!
Doch auf Erden ist mein Hoffen,
Und im Himmel ist es nicht!
Mußtest du ihn auf mich laden
95 Diesen furchtbaren Beruf,
Konnt' ich dieses Herz verhärten,
Das der Himmel fühlend schuf!

Willst du deine Macht verkünden,
Wähle sie, die frei von Sünden
100 Stehn in deinem ew'gen Haus,

Deine Geister sende aus,
Die Unsterblichen, die Reinen,
Die nicht fühlen, die nicht weinen!
Nicht die zarte Jungfrau wähle,
Nicht der Hirtin weiche Seele!

   Kümmert mich das Los der Schlachten,
Mich der Zwist der Könige?
Schuldlos trieb ich meine Lämmer
Auf des stillen Berges Höh.
Doch du rissest mich in's Leben,
In den stolzen Fürstensaal,
Mich der Schuld dahin zu geben,
Ach! es war nicht meine Wahl!

⟨*Zweiter Auftritt*⟩

Agnes Sorel. Johanna.

SOREL *kommt in lebhafter Rührung, wie sie die Jungfrau
erblickt eilt sie auf sie zu und fällt ihr um den Hals;
plötzlich besinnt sie sich, läßt sie los und fällt vor ihr
nieder:*
Nein! Nicht so! Hier im Staub vor dir –
JOHANNA *will sie aufheben:*   Steh auf!
Was ist dir? Du vergissest dich und mich.
SOREL Laß mich! Es ist der Freude Drang, der mich
Zu deinen Füßen niederwirft – ich muß
Mein überwallend Herz vor Gott ergießen,
Den Unsichtbaren bet' ich an in dir.
Du bist der Engel, der mir meinen Herrn
Nach Rheims geführt und mit der Krone schmückt.
Was ich zu sehen nie geträumt, es ist
Erfüllt! Der Krönungszug bereitet sich,
Der König steht im festlichen Ornat,

25 Versammelt sind die Pairs, die Mächtigen
    Der Krone, die Insignien* zu tragen,
    Zur Kathedrale wallend strömt das Volk,
    Es schallt der Reigen* und die Glocken tönen,
    O dieses Glückes Fülle trag' ich nicht!
    Johanna hebt sie sanft in die Höhe. Agnes Sorel hält einen
    Augenblick inne, indem sie der Jungfrau näher in's Auge
    sieht.
30 Doch du bleibst immer ernst und streng, du kannst
    Das Glück erschaffen, doch du teilst es nicht.
    Dein Herz ist kalt, du fühlst nicht unsre Freuden,
    Du hast der Himmel Herrlichkeit gesehn,
    Die reine Brust bewegt kein irdisch Glück.
    Johanna ergreift ihre Hand mit Heftigkeit, läßt sie aber
    schnell wieder fahren.
35 O könntest du ein Weib sein und empfinden!
    Leg diese Rüstung ab, kein Krieg ist mehr,
    Bekenne dich zum sanfteren Geschlechte!
    Mein liebend Herz flieht scheu vor dir zurück,
    So lange du der strengen ⌈Pallas⌉ gleichst.
40 JOHANNA Was foderst du von mir!
    SOREL   Entwaffne dich!
    Leg diese Rüstung ab, die Liebe fürchtet,
    Sich dieser stahlbedeckten Brust zu nahn.
    O sei ein Weib und du wirst Liebe fühlen!
    JOHANNA
    Jetzt soll ich mich entwaffnen! Jetzt! Dem Tod
45 Will ich die Brust entblößen in der Schlacht!
    Jetzt nicht – o möchte siebenfaches Erz
    Vor euren Festen, vor mir selbst mich schützen!
    SOREL Dich liebt Graf Dünois. Sein edles Herz
    Dem Ruhm nur offen und der Heldentugend,
50 Es glüht für dich in heiligem Gefühl.
    O es ist schön, von einem Helden sich geliebt
    Zu sehn – es ist noch schöner, ihn zu lieben!

Zeichen kö-
nigl. Würde
und Macht

Der Reigen
der Musiker
spielt.

Johanna wendet sich mit Abscheu hinweg.
Du hassest ihn! – Nein, nein, du kannst ihn nur
Nicht lieben – Doch wie solltest du ihn hassen!
Man haßt nur den, der den Geliebten uns
Entreißt, doch dir ist keiner der Geliebte!
Dein Herz ist ruhig – Wenn es fühlen könnte –
JOHANNA Beklage mich! Beweine mein Geschick!
SOREL Was könnte dir zu deinem Glücke mangeln?
Du hast dein Wort gelös't, Frankreich ist frei,
Bis in die Krönungsstadt hast du den König
Siegreich geführt, und hohen Ruhm erstritten,
Dir huldiget, dich preis't ein glücklich Volk,
Von allen Zungen überströmend fließt
Dein Lob, du bist die Göttin dieses Festes,
Der König selbst mit seiner Krone strahlt
Nicht herrlicher als du.
JOHANNA   O könnt' ich mich
Verbergen in den tiefsten Schoß der Erde!
SOREL Was ist dir? Welche seltsame Bewegung!
Wer dürfte frei aufschaun an diesem Tage,
Wenn du die Blicke niederschlagen sollst!
Mich laß erröten, mich die neben dir
So klein sich fühlt, zu deiner Heldenstärke sich
Zu deiner Hoheit nicht erheben kann!
Denn soll ich meine ganze Schwäche dir
Gestehen? – Nicht der Ruhm des Vaterlandes,
Nicht der erneute Glanz des Thrones, nicht
Der Völker Hochgefühl und Siegesfreude
Beschäftigt dieses schwache Herz. Es ist
Nur Einer, der es ganz erfüllt, es hat
Nur Raum für dieses einzige Gefühl:
Er ist der angebetete, ihm jauchzt das Volk,
Ihn segnet es, ihm streut es diese Blumen,
Er ist der Meine, der Geliebte ist's.
JOHANNA O du bist glücklich! Selig preise dich!

Du liebst wo alles liebt! Du darfst dein Herz
Aufschließen, laut aussprechen dein Entzücken
Und offen tragen vor der Menschen Blicken!
Dies Fest des Reichs ist deiner Liebe Fest,
90 Die Völker alle, die unendlichen,
Die sich in diesen Mauren* flutend drängen,   Mauern
Sie teilen dein Gefühl, sie heil'gen es,
Dir jauchzen sie, dir flechten sie den Kranz,
Eins bist du mit der allgemeinen Wonne,
95 Du liebst das Allerfreuende, die Sonne*,   König Karl
Und was du siehst, ist deiner Liebe Glanz!
SOREL *ihr um den Hals fallend:*
O du entzückst mich, du verstehst mich ganz!
Ja ich verkannte dich, du kennst die Liebe,
Und was ich fühle, sprichst du mächtig aus.
00 Von seiner Furcht und Scheue lös't sich mir
Das Herz, es wallt vertrauend dir entgegen –
JOHANNA *entreißt sich mit Heftigkeit ihren Armen:*
Verlaß mich. Wende dich von mir! Beflecke
Dich nicht mit meiner Pesterfüllten Nähe!
Sei glücklich, geh, mich laß in tiefster Nacht
05 Mein Unglück, meine Schande, mein Entsetzen
Verbergen –
SOREL   Du erschreckst mich, ich begreife
Dich nicht, doch ich begriff dich nie – und stets
Verhüllt war mir dein dunkel tiefes Wesen.
Wer möcht' es fassen, was dein heilig Herz,
10 Der reinen Seele Zartgefühl erschreckt!
JOHANNA Du bist die Heilige! Du bist die Reine!
Sähst du mein Innerstes, du stießest schaudernd
Die Feindin von dir, die Verräterin!

⟨*Dritter Auftritt*⟩

Dünois. Dü Chatel und La Hire mit der Fahne der Johanna.

DÜNOIS Dich suchen wir Johanna. Alles ist
  Bereit, der König sendet uns, er will   27
  Daß du vor ihm die heil'ge Fahne tragest,
  Du sollst dich schließen an der Fürsten Reihn,
  Die Nächste an ihm selber sollst du gehn,
  Denn er verleugnet's nicht und alle Welt
  Soll es bezeugen, daß er dir allein   27
  Die Ehre dieses Tages zuerkennt.
LA HIRE Hier ist die Fahne. Nimm sie edle Jungfrau,
  Die Fürsten warten und es harrt das Volk.
JOHANNA Ich vor ihm herziehn! Ich die Fahne tragen!
DÜNOIS Wem anders ziemt' es! Welche andre Hand   27
  Ist rein genug, das Heiligtum zu tragen!
  Du schwangst sie im Gefechte, trage sie
  Zur Zierde nun auf diesem Weg der Freude.
  La Hire will ihr die Fahne überreichen, sie bebt schau-
  dernd davor zurück.
JOHANNA Hinweg! Hinweg!
LA HIRE   Was ist dir? Du erschrickst
  Vor deiner eignen Fahne! – Sieh sie an!   27
  er rollt die Fahne auseinander
  Es ist dieselbe, die du siegend schwangst.
  Die Himmelskönigin ist drauf gebildet,
  Die über einer Erdenkugel schwebt,
  Denn also lehrte dich's die heil'ge Mutter.
JOHANNA *mit Entsetzen hinschauend:*
  Sie ist's! Sie selbst! Ganz so erschien sie mir.   27
  Seht wie sie herblickt und die Stirne faltet,
  Zornglühend aus den finstern Wimpern schaut!
SOREL O sie ist außer sich! Komm zu dir selbst!
  Erkenne dich, du siehst nichts wirkliches!
  Das ist ihr irdisch nachgeahmtes Bild,   27
  Sie selber wandelt in des Himmels Chören!

108

JOHANNA

Furchtbare, kommst du dein Geschöpf zu strafen?
Verderbe, strafe mich, nimm deine Blitze,
Und laß sie fallen auf mein schuldig Haupt.
45 Gebrochen hab' ich meinen Bund, entweiht,
Gelästert hab' ich deinen heil'gen Namen!

DÜNOIS Weh uns! Was ist das! Welch' unsel'ge Reden!

LA HIRE *erstaunt zu Dü Chatel:*
Begreift ihr diese seltsame Bewegung?

DÜ CHATEL Ich sehe was ich seh. Ich hab' es längst
50 Gefürchtet.

DÜNOIS   Wie? Was sagt ihr?

DÜ CHATEL   Was ich denke,
Darf ich nicht sagen. Wollte Gott, es wäre
Vorüber und der König wär' gekrönt!

LA HIRE Wie? Hat der Schrecken, der von dieser Fahne
Ausging, sich auf dich selbst zurück gewendet?
55 Den Briten laß vor diesem Zeichen zittern,
Den Feinden Frankreichs ist es fürchterlich,
Doch seinen treuen Bürgern ist es gnädig.

JOHANNA Ja du sagst recht! Den Freunden ist es hold*,   Hier: wohl-
Und auf die Feinde sendet es Entsetzen!   gesinnt
Man hört den Krönungsmarsch.

60 DÜNOIS So nimm die Fahne! Nimm sie! Sie beginnen
Den Zug, kein Augenblick ist zu verlieren!
*Sie dringen ihr die Fahne auf, sie ergreift sie mit heftigem
Widerstreben und geht ab, die andern folgen.*
*Die Szene verwandelt sich in einen freien Platz vor der
Kathedralkirche.*

⟨*Vierter Auftritt*⟩

Zuschauer erfüllen den Hintergrund, aus ihnen heraus tre-
ten Bertrand, Claude Marie und Etienne und kommen
vorwärts, in der Folge auch Margot und Louison. Der
Krönungsmarsch erschallt gedämpft aus der Ferne.

BERTRAND Hört die Musik! Sie sind's! Sie nahen schon!
   Was ist das Beste? Steigen wir hinauf
   Auf die Platforme*, oder drängen uns
   Durch's Volk, daß wir vom Aufzug nichts verlieren?

ETIENNE Es ist nicht durchzukommen. Alle Straßen sind
   Von Menschen vollgedrängt, zu Roß und Wagen.
   Laßt uns hieher an diese Häuser treten,
   Hier können wir den Zug gemächlich sehen,
   Wenn er vorüber kommt!

CLAUDE MARIE   Ist's doch, als ob
   Halb Frankreich sich zusammen hier gefunden!
   So allgewaltig ist die Flut, daß sie
   Auch uns im fernen lothringischen Land
   Hat aufgehoben und hieher gespült!

BERTRAND   Wer wird
   In seinem Winkel müßig sitzen, wenn
   Das Große sich begibt im Vaterland!
   Es hat auch Schweiß und Blut genug gekostet
   Bis daß die Krone kam auf's rechte Haupt!
   Und u n s e r König, der der wahre ist,
   Dem wir die Kron' itzt geben, soll nicht schlechter
   Begleitet sein, als der Pariser ihrer*,
   Den sie zu Saint Denis gekrönt! Der ist
   Kein Wohlgesinnter, der von diesem Fest
   Wegbleibt und nicht mit ruft: es lebe der König!

Platz vor
der Kirche
(franz.
›plate-
forme‹)

Heinrich VI.;
vgl. Erl. zu
V. 715

20

20

20

20

⟨*Fünfter Auftritt*⟩

Margot und Louison treten zu ihnen.

85 LOUISON Wir werden unsre Schwester sehen, Margot!
  Mir pocht das Herz.
  MARGOT   Wir werden sie im Glanz
  Und in der Hoheit sehn, und zu uns sagen:
  Es ist Johanna, es ist unsre Schwester!
  LOUISON Ich kann's nicht glauben, bis ich sie mit Augen
90 Gesehn, daß diese Mächtige, die man
  Die Jungfrau nennt von Orleans, unsre Schwester
  Johanna ist, die uns verloren ging.
  Der Marsch kommt immer näher.
  MARGOT Du zweifelst noch! Du wirst's mit Augen sehn!
  BERTRAND Gebt acht! Sie kommen!

⟨*Sechster Auftritt*⟩

Flötenspieler und Hoboisten eröffnen den Zug. Kinder folgen, weiß gekleidet, mit Zweigen in der Hand, hinter diesen zwei Herolde. Darauf ein Zug von ⌐Hellebardierern⌐. Magistratspersonen in der Robe folgen. Hierauf zwei Marschälle mit dem Stabe, Herzog von Burgund das ⌐Schwert⌐ tragend, Dünois mit dem Zepter, andere Große mit der Krone, dem ⌐Reichsapfel⌐ und dem ⌐Gerichtsstabe⌐, andere mit Opfergaben; hinter diesen Ritter in ihrem Ordensschmuck, Chorknaben mit dem ⌐Rauchfaß⌐, dann zwei Bischöfe mit der ⌐S'Ampoule⌐, Erzbischof mit dem Kruzifix; ihm folgt Johanna mit der Fahne. Sie geht mit gesenktem Haupt und ungewissen Schritten, die Schwestern geben bei ihrem Anblick Zeichen des Erstaunens und der Freude. Hinter ihr kommt der König, unter einem Thronhimmel, welchen vier Barone tragen, Hofleute folgen, Soldaten schließen. Wenn der Zug in die Kirche hinein ist, schweigt der Marsch.

⟨*Siebenter Auftritt*⟩

MARGOT
  Sahst du die Schwester?   2

CLAUDE MARIE   Die im goldnen Harnisch,
  Die vor dem König herging mit der Fahne!

MARGOT Sie war's. Es war Johanna unsre Schwester!

LOUISON Und sie erkannt' uns nicht! Sie ahndete
  Die Nähe nicht der schwesterlichen Brust.
  Sie sah zur Erde und erschien so blaß,   2
  Und unter ihrer Fahne ging sie zitternd –
  Ich konnte mich nicht freun, da ich sie sah.

MARGOT So hab' ich unsre Schwester nun im Glanz
  Und in der Herrlichkeit gesehn. – Wer hätte
  Auch nur im Traum geahndet und gedacht,   2
  Da sie die Herde trieb auf unsern Bergen,
  Daß wir in solcher Pracht sie würden schauen.

LOUISON Der Traum des Vaters ist erfüllt, daß wir
  Zu Rheims uns vor der Schwester würden neigen.
  Das ist die Kirche, die der Vater sah   2
  Im Traum und alles hat sich nun erfüllt.
  Doch der Vater sah auch traurige Gesichte,

Vgl. V. 112–132
  Ach, mich bekümmert's, sie so groß zu sehn!*

BERTRAND Was stehn wir müßig hier? Kommt in die
                           Kirche,
  Die heil'ge Handlung anzusehn!   2

MARGOT   Ja kommt!
  Vielleicht, daß wir der Schwester dort begegnen.

LOUISON Wir haben sie gesehen, kehren wir
  In unser Dorf zurück.

MARGOT   Was? Eh wir sie
  Begrüßt und angeredet?

LOUISON   Sie gehört
  Uns nicht mehr an, bei Fürsten ist ihr Platz   2
  Und Königen – Wer sind wir, daß wir uns

Zu ihrem Glanze rühmend eitel drängen?
Sie war uns fremd, da sie noch unser war!

MARGOT Wird sie sich unser schämen, uns verachten?

25 BERTRAND Der König selber schämt sich unser nicht,
Er grüßte freundlich auch den Niedrigsten.
Sei sie so hoch gestiegen als sie will,
Der König ist doch größer!
Trompeten und Pauken erschallen aus der Kirche.

CLAUDE MARIE   Kommt zur Kirche!
*Sie eilen nach dem Hintergrund, wo sie sich unter dem
Volke verlieren.*

⟨Achter Auftritt⟩

*Thibaut kommt, schwarz gekleidet, Raimond folgt ihm
und will ihn zurücke halten.*

RAIMOND Bleibt Vater Thibaut! Bleibt aus dem Gedränge

30 Zurück! Hier seht ihr lauter frohe Menschen,
Und euer Gram beleidigt dieses Fest.
Kommt! Fliehn wir aus der Stadt mit eil'gen Schritten.

THIBAUT Sahst du mein unglückselig Kind? Hast du
Sie recht betrachtet?

RAIMOND   O ich bitt' euch, flieht!

35 THIBAUT Bemerktest du wie ihre Schritte wankten,
Wie bleich und wie verstört ihr Antlitz war!
Die Unglückselige fühlt ihren Zustand,
Das ist der Augenblick, mein Kind zu retten,
Ich will ihn nutzen.
er will gehen.

RAIMOND   Bleibt! Was wollt ihr tun?

40 THIBAUT Ich will sie überraschen, will sie stürzen
Von ihrem eiteln Glück, ja mit Gewalt
Will ich zu ihrem Gott, dem sie entsagt,
Zurück sie führen.

RAIMOND   Ach! Erwägt es wohl!
Stürzt euer eigen Kind nicht in's Verderben!

THIBAUT Lebt ihre Seele nur, ihr Leib mag sterben.   28|

Johanna stürzt aus der Kirche heraus, ohne ihre Fahne,
Volk dringt zu, adoriert* sie und küßt ihre Kleider, sie
wird durch das Gedränge im Hintergrunde aufgehalten.
Sie kommt! Sie ist's! Bleich stürzt sie aus der Kirche,
Es treibt die Angst sie aus dem Heiligtum,
Das ist das göttliche Gericht, das sich
An ihr verkündiget! –

verehrt, be-
tet an (von
lat. ›adora-
re‹)

RAIMOND   Lebt wohl!
Verlangt nicht, daß ich länger euch begleite!   28|
Ich kam voll Hoffnung und ich geh voll Schmerz.
Ich habe eure Tochter wieder gesehn,
Und fühle, daß ich sie auf's neu verliere!
er geht ab, Thibaut entfernt sich auf der entgegen gesetz-
ten Seite.

⟨Neunter Auftritt⟩

JOHANNA *hat sich des Volks erwehrt und kommt vorwärts:*
⌈Ich kann nicht bleiben – Geister jagen mich,
Wie Donner schallen mir der Orgel Töne,   28|
Des Doms Gewölbe stürzen auf mich ein,
Des freien Himmels Weite muß ich suchen!⌉
Die Fahne ließ ich in dem Heiligtum,
Nie, nie soll diese Hand sie mehr berühren!
– Mir war's, als hätt' ich die geliebten Schwestern,   28|
Margot und Louison, gleich einem Traum
An mir vorüber gleiten sehen. – Ach!
Es war nur eine täuschende Erscheinung!
Fern sind sie, fern und unerreichbar weit,
Wie meiner Kindheit, meiner Unschuld Glück!   28

MARGOT *hervortretend:*
Sie ist's, Johanna ist's.

LOUISON *eilt ihr entgegen:*
                    O meine Schwester!

JOHANNA
  So war's kein Wahn – Ihr seid es – Ich umfaß euch,
  Dich meine Louison! Dich meine Margot!
  Hier in der fremden Menschenreichen Öde
370 Umfang ich die vertraute Schwesterbrust!

  MARGOT Sie kennt uns noch, ist noch die gute Schwester.

  JOHANNA Und eure Liebe führt euch zu mir her
    So weit, so weit! Ihr zürnt der Schwester nicht,
    Die lieblos ohne Abschied euch verließ!

375 LOUISON Dich führte Gottes dunkle Schickung fort.

  MARGOT Der Ruf von dir, der alle Welt bewegt,
    Der deinen Namen trägt auf allen Zungen,
    Hat uns erweckt in unserm stillen Dorf,
    Und hergeführt zu dieses Festes Feier.
380 Wir kommen deine Herrlichkeit zu sehn,
    Und wir sind nicht allein!

  JOHANNA *schnell:*   Der Vater ist mit euch!
    Wo, wo ist er? Warum verbirgt er sich?

  MARGOT
    Der Vater ist nicht mit uns.

  JOHANNA   Nicht? Er will sein Kind
    Nicht sehn? Ihr bringt mir seinen Segen nicht?

385 LOUISON Er weiß nicht, daß wir hier sind.

  JOHANNA   Weiß es nicht!
    Warum nicht? – Ihr verwirret euch? Ihr schweigt
    Und seht zur Erde! Sagt, wo ist der Vater?

  MARGOT Seitdem du weg bist –

  LOUISON *winkt ihr:*   Margot!

  MARGOT   Ist der Vater
    Schwermütig worden.

  JOHANNA   Schwermütig!

  LOUISON   Tröste dich!
390 Du kennst des Vaters ahndungsvolle Seele!

Er wird sich fassen, sich zufrieden geben,
Wenn wir ihm sagen, daß du glücklich bist.
MARGOT Du bist doch glücklich? Ja du mußt es sein,
Da du so groß bist und geehrt!
JOHANNA   Ich bins,
Da ich euch wieder sehe, eure Stimme   28•
Vernehme, den geliebten Ton, mich heim
Erinnre an die väterliche Flur.
Da ich die Herde trieb auf unsern Höhen,
Da war ich glücklich wie im Paradies –
Kann ich's nicht wieder sein, nicht wieder werden!   29•

*Sie verbirgt ihr Gesicht an Louisons Brust. Claude Marie,
Etienne und Bertrand zeigen sich und bleiben schüchtern
in der Ferne stehen.*

MARGOT Kommt Etienne! Bertrand! Claude Marie!
Die Schwester ist nicht stolz, sie ist so sanft
Und spricht so freundlich, als sie nie getan,
Da sie noch in dem Dorf mit uns gelebt.

*Jene treten näher und wollen ihr die Hand reichen, Jo-
hanna sieht sie mit starren Blicken an, und fällt in ein
tiefes Staunen.*

JOHANNA Wo war ich? Sagt mir! War das alles nur   29•
Ein langer Traum und ich bin aufgewacht?
Bin ich hinweg aus Dom Remi? Nicht wahr!
Ich war entschlafen unterm Zauberbaum,
Und bin erwacht, und ihr steht um mich her,
Die wohlbekannten traulichen Gestalten?   29•
Mir hat von diesen Königen und Schlachten
Und Kriegestaten nur geträumt – es waren
Nur Schatten, die an mir vorüber gingen,
Denn lebhaft träumt sich's unter diesem Baum.
Wie kämet ihr nach Rheims? Wie käm' ich selbst   29•
Hieher? Nie, nie verließ ich Dom Remi!
Gesteht mir's offen und erfreut mein Herz.
LOUISON Wir sind zu Rheims. Dir hat von diesen Taten

Nicht bloß geträumt, du hast sie alle wirklich
20 Vollbracht. – Erkenne dich, blick um dich her,
Befühle deine glänzend goldne Rüstung!
*Johanna fährt mit der Hand nach der Brust, besinnt sich
und erschrickt.*

BERTRAND Aus meiner Hand empfingt ihr diesen Helm.

CLAUDE MARIE
Es ist kein Wunder, daß ihr denkt zu träumen,
Denn was ihr ausgerichtet und getan,
25 Kann sich im Traum nicht wunderbarer fügen.

JOHANNA *schnell:*
Kommt, laßt uns fliehn! Ich geh mit euch, ich kehre
In unser Dorf, in Vaters Schoß zurück.

LOUISON O komm! komm mit uns!

JOHANNA   Diese Menschen alle
Erheben mich weit über mein Verdienst!
30 Ihr habt mich kindisch, klein und schwach gesehn,
Ihr liebt mich, doch ihr betet mich nicht an!

MARGOT Du wolltest allen diesen Glanz verlassen!

JOHANNA Ich werf' ihn von mir den verhaßten Schmuck,
Der euer Herz von meinem Herzen trennt,
35 Und eine Hirtin will ich wieder werden.
Wie eine niedre Magd will ich euch dienen,
Und büßen will ich's mit der strengsten Buße,
Daß ich mich eitel über euch erhob!
Trompeten erschallen.

⟨Zehnter Auftritt⟩

*Der König tritt aus der Kirche, er ist im Krönungs-Ornat,
Agnes Sorel, Erzbischof, Burgund, Dünois, La Hire, Dü
Chatel, Ritter, Hofleute und Volk.*
ALLE STIMMEN *rufen wiederholt, während daß der Kö-
nig vorwärts kommt:*

Es lebe der König! Karl der Siebente!
Trompeten fallen ein. Auf ein Zeichen, das der König
gibt, gebieten die Herolde mit erhobenem Stabe Still-
schweigen.

KÖNIG Mein gutes Volk! Habt Dank für eure Liebe!   29
Die Krone, die uns Gott auf's Haupt gesetzt,
Durch's Schwert ward sie gewonnen und erobert,
Mit edelm Bürgerblut ist sie benetzt,
Doch friedlich soll der Ölzweig sie umgrünen.
Gedankt sei allen, die für uns gefochten,   29
Und allen, die uns widerstanden, sei
Verziehn, denn Gnade hat uns Gott erzeigt,
Und unser erstes Königswort sei – Gnade!

VOLK Es lebe der König! Karl der Gütige!

KÖNIG Von Gott allein, dem höchsten Herrschenden,   29
Empfangen Frankreichs Könige die Krone.
Wir aber haben sie sichtbarer Weise
Aus seiner Hand empfangen.
zur Jungfrau sich wendend.
Hier steht die Gottgesendete, die euch
Den angestammten König wieder gab,   29
Das Joch der fremden Tyrannei zerbrochen!
Ihr Name soll dem ⌜heiligen Denis⌝
Gleich sein, der dieses Landes Schützer ist,
Und ein Altar sich ihrem Ruhm erheben!

VOLK Heil, Heil der Jungfrau, der Erretterin!   29
Trompeten.

KÖNIG *zur Johanna:*
Wenn du von Menschen bist gezeugt wie wir,
So sage, welches Glück dich kann erfreuen;
Doch wenn dein Vaterland dort oben ist,
Wenn du die Strahlen himmlischer Natur
In diesem jungfräulichen Leib verhüllst,   29
So nimm das Band hinweg von unsern Sinnen
Und laß dich sehn in deiner Lichtgestalt,

Wie dich der Himmel sieht, daß wir anbetend
Im Staube dich verehren.
ein allgemeines Stillschweigen, jedes Auge ist auf die
Jungfrau gerichtet.
JOHANNA *plötzlich aufschreiend:*
                    Gott! Mein Vater!

⌜*(Elfter Auftritt)*⌝

Thibaut tritt aus der Menge und steht Johanna gerade ge-
genüber.
MEHRERE STIMMEN Ihr Vater!
THIBAUT   Ja ihr jammervoller Vater,
   Der die Unglückliche gezeugt, den Gottes
   Gericht hertreibt, die eigne Tochter anzuklagen.
BURGUND Ha! Was ist das!
DÜ CHATEL   Jetzt wird es schrecklich tagen!
THIBAUT *zum König:*
   Gerettet glaubst du dich durch Gottes Macht?
   Betrogner Fürst! Verblendet Volk der Franken!
   Du bist gerettet durch des Teufels Kunst.
   Alle treten mit Entsetzen zurück.
DÜNOIS Ras't dieser Mensch?
THIBAUT   Nicht ich, du aber rasest,
   Und diese hier, und dieser weise Bischof,
   Die glauben, daß der Herr der Himmel sich
   Durch eine schlechte* Magd verkünden werde.   schlichte,
   Laß sehn, ob sie auch in des Vaters Stirn'   einfache
   Der dreisten Lüge Gaukelspiel behauptet,
   Womit sie Volk und König hinterging.
   Antworte mir im Namen des Dreieinen,
   Gehörst du zu den Heiligen und Reinen?
   allgemeine Stille, alle Blicke sind auf sie gespannt, sie
   steht unbeweglich.

SOREL

Gott, sie verstummt!

THIBAUT   Das muß sie vor dem furchtbarn
                                                      Namen
Der in der Hölle Tiefen selbst
Gefürchtet wird! – Sie eine Heilige,
Von Gott gesendet! – An verfluchter Stätte
Ward es ersonnen, unterm Zauberbaum,   2
Wo schon von Alters her die bösen Geister
Den ⌐Sabbat⌐ halten – hier verkaufte sie
Dem Feind der Menschen ihr Unsterblich Teil,
Daß er mit kurzem Weltruhm sie verherrliche.
Laßt sie den Arm aufstreifen, seht ⌐die Punkte,   2⌐
Womit die Hölle sie gezeichnet hat⌐!

BURGUND

Entsetzlich! – Doch dem Vater muß man glauben,
Der wider seine eigne Tochter zeugt!

DÜNOIS Nein, nicht zu glauben ist dem Rasenden,
Der in dem eignen Kind sich selber schändet!   3

SOREL *zur Johanna:*
O rede! Brich dies unglücksel'ge Schweigen!
Wir glauben dir! Wir trauen fest auf dich!
Ein Wort aus deinem Mund, ein einzig Wort
Soll uns genügen – Aber sprich! Vernichte
Die gräßliche Beschuldigung – Erkläre,   3⌐
Du seist unschuldig und wir glauben dir.
Johanna steht unbeweglich, Agnes Sorel tritt mit Entset-
zen von ihr hinweg.

LA HIRE Sie ist erschreckt. Erstaunen und Entsetzen
Schließt ihr den Mund. – Vor solcher gräßlichen
Anklage muß die Unschuld selbst erbeben.
er nähert sich ihr.
Faß dich Johanna. Fühle dich. Die Unschuld   3
Hat eine Sprache, einen Siegerblick,
Der die Verleumdung mächtig niederblitzt!

In edelm Zorn erhebe dich, blick auf,
Beschäme, strafe den unwürd'gen Zweifel,
15 Der deine heil'ge Tugend schmäht.
*Johanna steht unbeweglich. La Hire tritt entsetzt zurück,
die Bewegung vermehrt sich.*

DÜNOIS

Was zagt das Volk? Was zittern selbst die Fürsten?
Sie ist unschuldig – Ich verbürge mich,
Ich selbst, für sie mit meiner Fürstenehre!
Hier werf ich meinen Ritterhandschuh hin,
20 Wer wagt's, sie eine Schuldige zu nennen?
Ein heftiger ⌜Donnerschlag⌝, alle stehen entsetzt.

THIBAUT Antworte bei dem Gott, der droben donnert!
Sprich, du seist schuldlos. Leugn' es, daß der Feind
In deinem Herzen ist, und straf' mich Lügen!
*Ein zweiter stärkerer Schlag, das Volk entflieht zu allen
Seiten.*

BURGUND Gott schütz uns! Welche fürchterliche Zeichen!

DÜ CHATEL *zum König:*
25 Kommt! Kommt mein König! Fliehet diesen Ort!

ERZBISCHOF *zur Johanna:*
Im Namen Gottes frag' ich dich. Schweigst du
Aus dem Gefühl der Unschuld oder Schuld?
Wenn dieses Donners Stimme für dich zeugt,
So fasse dieses Kreuz und gib ein Zeichen!
*Johanna bleibt unbeweglich. Neue heftige Donnerschlä-
ge. Der König, Agnes Sorel, Erzbischof, Burgund, La
Hire und Dü Chatel gehen ab.*

DÜNOIS Du bist mein Weib – Ich hab' an dich geglaubt   30
Beim ersten Blick, und also denk' ich noch.
Dir glaub' ich mehr als diesen Zeichen allen,
Als diesem Donner selbst, der droben spricht.
Du schweigst in edelm Zorn, verachtest es,
In deine heil'ge Unschuld eingehüllt,   30
So schändlichen Verdacht zu widerlegen.
– Veracht' es, aber m i r vertraue dich,
An deiner Unschuld hab' ich nie gezweifelt.
Sag mir kein Wort, die Hand nur reiche mir
Zum Pfand und Zeichen, daß du meinem Arme   30
Getrost vertraust und deiner guten Sache.
er reicht ihr die Hand hin, sie wendet sich mit einer zuk-
kenden Bewegung von ihm hinweg; er bleibt in starrem
Entsetzen stehen.

⟨Dreizehnter Auftritt⟩

DÜ CHATEL *zurückkommend:*
Johanna d'Arc! Der König will erlauben,
Daß ihr die Stadt verlasset ungekränkt.
Die Tore stehn euch offen. Fürchtet keine
Beleidigung. Euch schützt des Königs Frieden –   30
Folgt mir Graf Dünois – Ihr habt nicht Ehre,
Hier länger zu verweilen – Welch ein Ausgang!
er geht. Dünois fährt aus seiner Erstarrung auf, wirft
noch einen Blick auf Johanna und geht ab. Diese steht
einen Augenblick ganz allein. Endlich erscheint Rai-
mond, bleibt eine Weile in der Ferne stehen und betrach-
tet sie mit stillem Schmerz. Dann tritt er auf sie zu und
faßt sie bei der Hand.
RAIMOND Ergreift den Augenblick. Die Straßen

Sind leer. Gebt mir die Hand. Ich will euch führen.
*Bei seinem Anblick gibt sie das erste Zeichen der Emp-
findung, sieht ihn starr an und blickt zum Himmel, dann
ergreift sie ihn heftig bei der Hand und geht ab.*

Fünfter Aufzug

Ein wilder Wald, in der Ferne Köhlerhütten. Es ist ganz dunkel, heftiges Donnern und Blitzen, dazwischen Schießen.

⟨*Erster Auftritt*⟩

Köhler und Köhlerweib.

KÖHLER Das ist ein grausam, mörd'risch Ungewitter,   30
  Der Himmel droht in Feuerbächen sich
  Herabzugießen, und am hellen Tag
  Ist's Nacht, daß man die Sterne könnte sehn.
  Wie eine losgelaßne Hölle tobt
  Der Sturm, die Erde bebt und krachend beugen   30
  Die alt verjährten Eschen ihre Krone.
  Und dieser fürchterliche Krieg dort oben,
  Der auch die wilden Tiere Sanftmut lehrt,
  Daß sie sich zahm in ihre Gruben bergen,
  Kann unter Menschen keinen Frieden stiften –   30
  Aus dem Geheul der Winde und des Sturms
  Heraus hört ihr das Knallen des Geschützes;
  Die beiden Heere stehen sich so nah,
  Daß nur der Wald sie trennt und jede Stunde
  Kann es sich blutig fürchterlich entladen.   30
KÖHLERWEIB Gott steh uns bei! Die Feinde waren ja
  schon ganz aufs Haupt geschlagen und zerstreut,
  Wie kommts, daß sie auf's neu uns ängstigen?
KÖHLER
  Das macht, weil sie den König nicht mehr fürchten.
  Seitdem das Mädchen eine Hexe ward   30
  Zu Rheims, der böse Feind uns nicht mehr hilft,
  Geht alles rückwärts.
KÖHLER WEIB   Horch! Wer naht sich da?

⟨*Zweiter Auftritt*⟩

Raimond und Johanna treten auf.

RAIMOND Hier seh ich Hütten. Kommt, hier finden wir
Ein Obdach vor dem wüt'gen Sturm. Ihr haltet's
75 Nicht länger aus, drei Tage schon seid ihr
Herumgeirrt, der Menschen Auge fliehend,
Und wilde Wurzeln waren eure Speise.
Der Sturm legt sich, es wird hell und heiter.
Es sind mitleid'ge Köhler. Kommt herein.

KÖHLER Ihr scheint der Ruhe zu bedürfen. Kommt!
80 Was unser schlechtes Dach vermag, ist euer.

KÖHLERWEIB Was will die zarte Jungfrau unter Waffen?
Doch freilich! Jetzt ist eine schwere Zeit,
Wo auch das Weib sich in den Panzer steckt!
Die Königin selbst, Frau Isabeau, sagt man,
85 Läßt sich gewaffnet sehn in Feindes Lager,
Und eine Jungfrau, eines Schäfers Dirn*,   Mädchen
Hat für den König unsern Herrn gefochten.

KÖHLER Was redet ihr? Geht in die Hütte, bringt
Der Jungfrau einen Becher zur Erquickung.
Köhlerweib geht nach der Hütte.

RAIMOND *zur Johanna:*
90 Ihr seht, es sind nicht alle Menschen grausam,
Auch in der Wildnis wohnen sanfte Herzen.
Erheitert euch! Der Sturm hat ausgetobt,
Und friedlich strahlend geht die Sonne nieder.

KÖHLER Ich denk', ihr wollt zu unsers Königs Heer,
95 Weil ihr in Waffen reiset – Seht euch vor!
Die Engelländer stehen nah' gelagert,
Und ihre Scharen streifen durch den Wald.

RAIMOND Weh uns! Wie ist da zu entkommen?

KÖHLER   Bleibt
Bis daß mein Bub zurück ist aus der Stadt.
100 Der soll euch auf verborgnen Pfaden führen,

Daß ihr nichts zu befürchten habt. Wir kennen

Schleich-
wege

Die Schliche*.

RAIMOND *zur Johanna:*

Legt den Helm ab und die Rüstung,
Sie macht euch kenntlich und beschützt euch nicht.
Johanna schüttelt den Kopf.

KÖHLER Die Jungfrau ist sehr traurig – Still! Wer kommt
da?

⟨Dritter Auftritt⟩

Köhlerweib kommt aus der Hütte mit einem Becher. Köhlerbub.

KÖHLERWEIB Es ist der Bub, den wir zurück erwarten. 3

zur Johanna.

Trinkt edle Jungfrau! Mög's euch Gott gesegnen!

KÖHLER *zu seinem Sohn:*

Kommst du Anet? Was bringst du?

KÖHLERBUB *hat die Jungfrau in's Auge gefaßt, welche
eben den Becher an den Mund setzt; er erkennt sie, tritt
auf sie zu und reißt ihr den Becher vom Munde:*

Mutter! Mutter!
Was macht ihr? Wen bewirtet ihr? Das ist die Hexe
Von Orleans!

KÖHLER UND KÖHLERWEIB

Gott sei uns gnädig!

bekreuzen sich und entfliehen.

⟨*Vierter Auftritt*⟩

JOHANNA *gefaßt und sanft:*
0   Du siehst, mir folgt der Fluch, und alles flieht mich,
  Sorg' für dich selber und verlaß mich auch.
RAIMOND Ich euch verlassen! Jetzt! Und wer soll euer
  Begleiter sein?
JOHANNA   Ich bin nicht unbegleitet.
  Du hast den Donner über mir gehört.
5   Mein Schicksal führt mich. Sorge nicht, ich werde
  An's Ziel gelangen, ohne daß ich's suche.
RAIMOND Wo wollt ihr hin? Hier stehn die Engelländer,
  Die euch die grimmig blut'ge Rache schwuren –
  Dort stehn die Unsern, die euch ausgestoßen,
0   Verbannt –
JOHANNA   Mich wird nichts treffen, als was sein muß.
RAIMOND
  Wer soll euch Nahrung suchen? Wer euch schützen
  Vor wilden Tieren und noch wildern Menschen?
  Euch pflegen wenn ihr krank und elend werdet?
JOHANNA Ich kenne alle Kräuter, alle Wurzeln,
5   Von meinen Schafen lernt ich das Gesunde
  Vom Gift'gen unterscheiden – ich verstehe
  Den Lauf der Sterne und der Wolken Zug
  Und die verborgnen Quellen hör' ich rauschen.
  Der Mensch braucht wenig und an Leben reich
0   Ist die Natur.
RAIMOND *faßt sie bei der Hand:*
        Wollt ihr nicht in euch gehn?
  Euch nicht mit Gott versöhnen – in den Schoß
  Der heil'gen Kirche reuend wiederkehren?
JOHANNA
  Auch du hältst mich der schweren Sünde schuldig?
RAIMOND Muß ich nicht? Euer schweigendes Geständnis –
5 JOHANNA Du, der mir in das Elend nachgefolgt,

Das einz'ge Wesen, das mir treu geblieben,
Sich an mich kettet, da mich alle Welt
Ausstieß, du hältst mich auch für die Verworfne,
Die ihrem Gott entsagt –
Raimond schweigt.   O das ist hart!

RAIMOND *erstaunt:*
Ihr wäret wirklich keine Zauberin?

JOHANNA Ich eine Zauberin!

RAIMOND   Und diese Wunder,
Ihr hättet sie vollbracht mit Gottes Kraft
Und seiner Heiligen?

JOHANNA   Mit welcher sonst!

RAIMOND Und ihr verstummtet auf die gräßliche
Beschuldigung? – Ihr redet jetzt, und vor dem König,
Wo es zu reden galt, verstummtet ihr!

JOHANNA Ich unterwarf mich schweigend dem Geschick,
Das Gott, mein Meister, über mich verhängte.

RAIMOND Ihr konntet eurem Vater nichts erwidern!

JOHANNA Weil es vom Vater kam, so kam's von Gott,
Und väterlich wird auch die Prüfung sein.

RAIMOND Der Himmel selbst bezeugte eure Schuld!

JOHANNA
Der Himmel sprach, drum schwieg ich.

RAIMOND   Wie? Ihr konntet
Mit einem Wort euch reinigen, und ließt
Die Welt in diesem unglückselgen Irrtum?

JOHANNA Es war kein Irrtum, eine Schickung war's.

RAIMOND Ihr littet alle diese Schmach unschuldig,
Und keine Klage kam von euren Lippen!
– Ich staune über euch, ich steh erschüttert,
Im tiefsten Busen kehrt sich mir das Herz!
O gerne nehm' ich euer Wort für Wahrheit,
Denn schwer ward mir's, an eure Schuld zu glauben.
Doch konnt' ich träumen, daß ein menschlich Herz
Das ungeheure schweigend würde tragen!

JOHANNA Verdient' ich's, die Gesendete zu sein,
Wenn ich nicht blind des Meisters Willen ehrte!
Und ich bin nicht so elend, als du glaubst.
Ich leide Mangel, doch das ist kein Unglück
Für meinen Stand, ich bin verbannt und flüchtig,
Doch in der Öde lernt' ich mich erkennen.
Da, als der Ehre Schimmer mich umgab,
Da war der Streit in meiner Brust, ich war
Die Unglückseligste, da ich der Welt
Am meisten zu beneiden schien – Jetzt bin ich
Geheilt, und dieser Sturm in der Natur,
Der ihr das Ende drohte, war mein Freund,
Er hat die Welt gereinigt und auch mich.
In mir ist Friede – Komme was da will,
Ich bin mir keiner Schwachheit mehr bewußt!
RAIMOND O kommt, kommt, laßt uns eilen, eure Unschuld
Laut, laut vor aller Welt zu offenbaren!
JOHANNA Der die Verwirrung sandte, wird sie lösen!
Nur wenn sie reif ist, fällt des Schicksals Frucht!
Ein Tag wird kommen, der mich reiniget.
Und die mich jetzt verworfen und verdammt,
Sie werden ihres Wahnes inne werden,
Und Tränen werden meinem Schicksal fließen.
RAIMOND Ich sollte schweigend dulden, bis der Zufall –
JOHANNA *ihn sanft bei der Hand fassend:*
Du siehst nur das Natürliche der Dinge,
Denn deinen Blick umhüllt das ird'sche Band.
Ich habe das Unsterbliche mit Augen
Gesehen – ⌜ohne Götter fällt kein Haar
Vom Haupt des Menschen⌝ – Siehst du dort die Sonne
Am Himmel niedergehen – So gewiß
Sie morgen wiederkehrt in ihrer Klarheit,
So unausbleiblich kommt der Tag der Wahrheit!

⟨Fünfter Auftritt⟩

Königin Isabeau mit Soldaten erscheint im Hintergrund.

ISABEAU *noch hinter der Szene:*

Dies ist der Weg in's engelländsche Lager!

RAIMOND Weh uns! die Feinde!

Soldaten treten auf, bemerken im Hervorkommen die Johanna, und taumeln erschrocken zurück.

ISABEAU   Nun! was hält der Zug!

SOLDATEN

Gott steh uns bei!

ISABEAU   Erschreckt euch ein Gespenst!

Seid ihr Soldaten? Memmen seid ihr! – Wie?

sie drängt sich durch die andern, tritt hervor und fährt zurück wie sie die Jungfrau erblickt.

Was seh ich! Ha!

schnell faßt sie sich und tritt ihr entgegen.

                            Ergib dich! Du bist meine

Gefangene.

JOHANNA Ich bin's.

Raimond entflieht mit Zeichen der Verzweiflung.

ISABEAU *zu den Soldaten:*

                            Legt sie in Ketten!

Die Soldaten nahen sich der Jungfrau schüchtern, sie reicht den Arm hin und wird gefesselt.

Ist das die Mächtige, Gefürchtete,

Die eure Scharen wie die Lämmer scheuchte,

Die jetzt sich selber nicht beschützen kann?

Tut sie nur Wunder wo man Glauben hat,

Und wird zum Weib, wenn ihr ein Mann begegnet?

zur Jungfrau.

Warum verließest du dein Heer? Wo bleibt

Graf Dünois, dein Ritter und Beschützer?

JOHANNA Ich bin verbannt.

ISABEAU *erstaunt zurücktretend:*

                            Was? Wie? Du bist verbannt?

Verbannt vom Dauphin?

JOHANNA   Frage nicht! Ich bin
In deiner Macht, bestimme mein Geschick.

ISABEAU Verbannt, weil du vom Abgrund ihn gerettet,
Die Krone ihm hast aufgesetzt zu Rheims,
15   Zum König über Frankreich ihn gemacht?
Verbannt! Daran erkenn' ich meinen Sohn!
– Führt sie in's Lager. Zeiget der Armee
Das Furchtgespenst, vor dem sie so gezittert!
Sie eine Zauberin! Ihr ganzer Zauber
20   Ist euer Wahn und euer feiges Herz!
Eine Närrin ist sie, die für ihren König
Sich opferte, und jetzt den Königslohn
Dafür empfängt – Bringt sie zu Lionel –
Das Glück der Franken send' ich ihm gebunden,
25   Gleich folg' ich selbst.

JOHANNA   Zu Lionel! Ermorde mich
Gleich hier, eh du zu Lionel mich sendest.

ISABEAU *zu den Soldaten:*
Gehorchet dem Befehle. Fort mit ihr!
geht ab.

⟨Sechster Auftritt⟩

JOHANNA *zu den Soldaten:*
Engländer, duldet nicht daß ich lebendig
Aus eurer Hand entkomme! Rächet euch!
30   Zieht eure Schwerter, taucht sie mir in's Herz,
Reißt mich entseelt zu eures Feldherrn Füßen!
Denkt, das Ichs war, die eure Trefflichsten
Getötet, die kein Mitleid mit euch trug,
Die ganze Ströme Engelländschen Bluts
35   Vergossen, euren tapfern Heldensöhnen
Den Tag der frohen Wiederkehr geraubt!

Nehmt eine blut'ge Rache! Tötet mich!
Ihr habt mich jetzt, nicht immer möchtet ihr
So schwach mich sehn –

ANFÜHRER DER SOLDATEN
Tut was die Königin befahl!

JOHANNA   Sollt' ich
Noch unglücksel'ger werden als ich war!
Furchtbare Heil'ge! deine Hand ist schwer!
Hast du mich ganz aus deiner Huld verstoßen?
Kein Gott erscheint, kein Engel zeigt sich mehr,
Die Wunder ruhn, der Himmel ist verschlossen.
sie folgt den Soldaten

Das französische Lager.

⟨*Siebenter Auftritt*⟩

Dünois zwischen dem Erzbischof und Dü Chatel.
ERZBISCHOF Bezwinget euern finstern Unmut, Prinz!
Kommt mit uns! Kehrt zurück zu euerm König!
Verlasset nicht die allgemeine Sache
In diesem Augenblick, da wir auf's neu
Bedränget, eures Heldenarms bedürfen.

DÜNOIS Warum sind wir bedrängt? Warum erhebt
Der Feind sich wieder? Alles war getan,
Frankreich war siegend und der Krieg geendigt.
Die Retterin habt ihr verbannt, nun rettet
Euch selbst! Ich aber will das Lager
Nicht wieder sehen, wo sie nicht mehr ist.

DÜ CHATEL Nehmt bessern Rat an, Prinz. Entlaßt uns nicht
Mit einer solchen Antwort!

DÜNOIS   Schweigt Dü Chatel!
Ich hasse euch, von euch will ich nichts hören.
Ihr seid es, der zuerst an ihr gezweifelt.

ERZBISCHOF Wer ward nicht irr' an ihr und hätte nicht
  Gewankt an diesem unglücksel'gen Tage,
  Da alle Zeichen gegen sie bewiesen!
  Wir waren überrascht, betäubt, der Schlag
65 Traf zu erschütternd unser Herz – Wer konnte
  In dieser Schreckensstunde prüfend wägen?
  Jetzt kehrt uns die Besonnenheit zurück,
  Wir sehn sie, wie sie unter uns gewandelt,
  Und keinen Tadel finden wir an ihr.
70 Wir sind verwirrt – wir fürchten schweres Unrecht
  Getan zu haben. – Reue fühlt der König,
  Der Herzog klagt sich an, La Hire ist trostlos,
  Und jedes Herz hüllt sich in Trauer ein.
DÜNOIS Sie eine Lügnerin! Wenn sich die Wahrheit
75 Verkörpern will in sichtbarer Gestalt,
  So muß sie ihre Züge an sich tragen!
  Wenn Unschuld, Treue, Herzensreinigkeit
  Auf Erden irgend wohnt – auf ihren Lippen,
  In ihren klaren Augen muß sie wohnen!
80 ERZBISCHOF Der Himmel schlage durch ein Wunder sich
  Ins Mittel*, und erleuchte dies Geheimnis,   *Der Himmel
  Das unser sterblich Auge nicht durchdringt –   greife ein
  Doch wie sich's auch entwirren mag und lösen,
  Eins von den beiden haben wir verschuldet!
85 Wir haben uns mit höll'schen Zauberwaffen
  Verteidigt oder eine Heilige verbannt!
  Und beides ruft des Himmels Zorn und Strafen
  Herab auf dieses unglücksel'ge Land!

⟨*Achter Auftritt*⟩

Ein Edelmann tritt auf.

EDELMANN Ein junger Schäfer fragt nach deiner Hoheit,
Er fodert dringend, mit dir selbst zu reden,   3?
Er komme, sagt er, von der Jungfrau –
DÜNOIS   Eile!
Bring ihn herein! Er kommt von ihr!
*Edelmann öffnet dem Raimond die Türe, Dünois eilt ihm
entgegen.*
                                              Wo ist sie?
Wo ist die Jungfrau?
RAIMOND   Heil euch, edler Prinz,
Und Heil mir, daß ich diesen frommen Bischof,

Beschützer   Den heil'gen Mann, den Schirm* der Unterdrückten,   3?
Den Vater der Verlaßnen bei euch finde!
DÜNOIS Wo ist die Jungfrau?
ERZBISCHOF   Sag es uns, mein Sohn!
RAIMOND Herr, sie ist keine schwarze Zauberin!
Bei Gott und allen Heiligen bezeug' ich's.
Im Irrtum ist das Volk. Ihr habt die Unschuld   3:
Verbannt, die Gottgesendete verstoßen!
DÜNOIS Wo ist sie? Sage!
RAIMOND   Ihr Gefährte war ich

Im Nord-   Auf ihrer Flucht in dem Ardennerwald*,
osten von Mir hat sie dort ihr Innerstes gebeichtet.
Reims   In Martern will ich sterben, meine Seele   3:
Hab' keinen Anteil an dem ew'gen Heil,
Wenn sie nicht rein ist, Herr, von aller Schuld!
DÜNOIS Die Sonne selbst am Himmel ist nicht reiner!
Wo ist sie, sprich!
RAIMOND   O wenn euch Gott das Herz
Gewendet hat – So eilt! So rettet sie!   3:
Sie ist gefangen bei den Engelländern.
DÜNOIS Gefangen! Was!

ERZBISCHOF   Die Unglückselige!

RAIMOND In den Ardennen, wo wir Obdach suchten,
  Ward sie ergriffen von der Königin,
15 Und in der Engelländer Hand geliefert.
  O rettet sie, die euch gerettet hat,
  Von einem grausenvollen* Tode!   grauenvollen

DÜNOIS Zu den Waffen! Auf! Schlagt Lermen! Rührt die
                                        Trommeln!
  Führt alle Völker in's Gefecht! Ganz Frankreich
20 Bewaffne sich! Die Ehre ist verpfändet,
  Die Krone, das ⌜Palladium⌝ entwendet,
  Setzt alles Blut! Setzt euer Leben ein!
  Frei muß sie sein, noch eh der Tag sich endet!
  gehen ab.

Ein Wartturm, oben eine Öffnung.

⟨*Neunter Auftritt*⟩

Johanna und Lionel.
FASTOLF *eilig hereintretend:*
  Das Volk ist länger nicht zu bändigen.
25 Sie fodern wütend, daß die Jungfrau sterbe.
  Ihr widersteht vergebens. Tötet sie,
  Und werft ihr Haupt von dieses Turmes Zinnen,
  Ihr fließend Blut allein versöhnt das Heer.
ISABEAU *kommt:*
  Sie setzen Leitern an, sie laufen Sturm!
30 Befriediget das Volk. Wollt ihr erwarten,
  Bis sie den ganzen Turm in blinder Wut
  Umkehren und wir alle mit verderben?
  Ihr könnt sie nicht beschützen, gebt sie hin.
LIONEL Laßt sie anstürmen! Laßt sie wütend toben!
35 Dies Schloß ist fest, und unter seinen Trümmern

Begrab' ich mich, eh mich ihr Wille zwingt.
– Antworte mir, Johanna! Sei die Meine,
Und gegen eine Welt beschütz ich dich.

ISABEAU Seid ihr ein Mann?

LIONEL   Verstoßen haben dich
Die Deinen, aller Pflichten bist du ledig   33
Für dein unwürdig Vaterland. Die Feigen,
Die um dich warben, sie verließen dich,
Sie wagten nicht den Kampf um deine Ehre.
Ich aber, gegen mein Volk und das deine
Behaupt' ich dich. – Einst ließest du mich glauben,   33
Daß dir mein Leben teuer sei! Und damals
Stand ich im Kampf als Feind dir gegenüber,
Jetzt hast du keinen Freund als mich!

JOHANNA   Du bist
Der Feind mir, der verhaßte, meines Volks.
Nichts kann gemein sein zwischen dir und mir.   33
Nicht lieben kann ich dich, doch wenn dein Herz
Sich zu mir neigt, so laß es Segen bringen
Für unsre Völker. – Führe deine Heere
Hinweg von meines Vaterlandes Boden,
Die Schlüssel aller Städte gib heraus,   33
Die ihr bezwungen, allen Raub vergüte,
Gib die Gefangnen ledig*, sende Geiseln
Des heiligen Vertrags, so biet' ich dir
Den Frieden an in meines Königs Namen.

ISABEAU Willst du in Banden uns Gesetze geben?   33

JOHANNA Tu es bei Zeiten, denn du mußt es doch.
Frankreich wird nimmer Englands Fesseln tragen.
Nie, nie wird das geschehen! Eher wird es
Ein weites Grab für eure Heere sein.
Gefallen sind euch eure Besten, denkt   33
Auf eine sichre Rückkehr, euer Ruhm
Ist doch verloren, eure Macht ist hin.

ISABEAU Könnt ihr den Trotz der Rasenden ertragen?

〈*Zehnter Auftritt*〉

Ein Hauptmann kommt eilig.

HAUPTMANN
  Eilt, Feldherr, eilt, das Heer zur Schlacht zu stellen,
70 Die Franken rücken an mit fliegenden Fahnen,
  Von ihren Waffen blitzt das ganze Tal.

JOHANNA *begeistert:*
  Die Franken rücken an! Jetzt stolzes England,
  Heraus in's Feld, jetzt gilt es, frisch zu fechten!

FASTOLF Unsinnige, bezähme deine Freude!
75 Du wirst das Ende dieses Tags nicht sehn.

JOHANNA Mein Volk wird siegen und ich werde sterben,
  Die Tapfern brauchen meines Arms nicht mehr.

LIONEL Ich spotte dieser Weichlinge! Wir haben
  Sie vor uns her gescheucht in zwanzig Schlachten,
80 Eh dieses Heldenmädchen für sie stritt!
  Das ganze Volk veracht' ich bis auf Eine,
  Und diese haben sie verbannt. – Kommt Fastolf!
  Wir wollen ihnen einen zweiten Tag
  Bei Crequi und Poitiers bereiten.
85 Ihr, Königin, bleibt in diesem Turm, bewacht
  Die Jungfrau, bis das Treffen sich entschieden,
  Ich laß euch funfzig Ritter zur Bedeckung.

FASTOLF Was? Sollen wir dem Feind entgegen gehn,
  Und diese Wütende im Rücken lassen?

90 JOHANNA Erschreckt dich ein gefesselt Weib?

LIONEL   Gib mir
  Dein Wort Johanna, dich nicht zu befreien!

JOHANNA Mich zu befreien ist mein einz'ger Wunsch.

ISABEAU Legt ihr dreifache Fesseln an. Mein Leben
  Verbürg' ich, daß sie nicht entkommen soll.
  *Sie wird mit schweren Ketten um den Leib und um die
  Arme gefesselt,*

LIONEL *zur Johanna:*
95 Du willst es so! Du zwingst uns! Noch steht's bei dir!

Entsage Frankreich! Trage Englands Fahne,
Und du bist frei, und diese Wütenden,
Die jetzt dein Blut verlangen, dienen dir!

FASTOLF *dringend:*
Fort, fort mein Feldherr!

JOHANNA   Spare deine Worte!
Die Franken rücken an, verteid'ge dich!   34
Trompeten ertönen, Lionel eilt fort.

FASTOLF Ihr wißt, was ihr zu tun habt, Königin!
Erklärt das Glück sich gegen uns, seht ihr
Daß unsre Völker fliehen –

ISABEAU *einen Dolch ziehend:* Sorget nicht!
Sie soll nicht leben, unsern Fall zu sehn.

FASTOLF *zur Johanna:*
Du weißt was dich erwartet. Jetzt erflehe   34
Glück für die Waffen deines Volks!
er geht ab.

⟨Elfter Auftritt⟩

JOHANNA   Das will ich!
Daran soll niemand mich verhindern. – Horch!
Das ist der Kriegsmarsch meines Volks! Wie mutig
Er in das Herz mir schallt und siegverkündend!
Verderben über England! Sieg den Franken!   34
Auf, meine Tapfern! Auf! Die Jungfrau ist
Euch nah, sie kann nicht vor euch her wie sonst
Die Fahne tragen – schwere Bande fesseln sie,
Doch frei aus ihrem Kerker schwingt die Seele
Sich auf den Flügeln eures Kriegsgesangs.   34

ISABEAU *zu einem Soldaten:*
Steig auf die Warte dort, die nach dem Feld
Hin sieht und sag uns, wie die Schlacht sich wendet.
Soldat steigt hinauf.

JOHANNA Mut, Mut mein Volk! Es ist der letzte Kampf!
Den Einen Sieg noch, und der Feind liegt nieder.

20 ISABEAU Was siehest du?
SOLDAT   Schon sind sie aneinander.
Ein Wütender auf einem Barberroß*,
Im Tigerfell, sprengt vor mit den Gendarmen*.
JOHANNA Das ist Graf Dünois! Frisch wackrer Streiter!
Den Sieg ist mit dir!
SOLDAT   Der Burgunder greift
25 Die Brücke an.
ISABEAU   Daß zehen Lanzen ihm
In's falsche Herz eindrängen, dem Verräter!
SOLDAT Lord Fastolf tut ihm mannhaft Widerstand.
Sie sitzen ab, sie kämpfen Mann für Mann,
Des Herzogs Leute und die unsrigen.
30 ISABEAU Siehst du den Dauphin nicht? Erkennst du nicht
Die königlichen Zeichen?
SOLDAT   Alles ist
In Staub vermengt. Ich kann nichts unterscheiden.
JOHANNA Hätt' er mein Auge oder stünd' ich oben,
Das kleinste nicht entginge meinem Blick!
35 Das wilde Huhn kann ich im Fluge zählen,
Den Falk erkenn' ich in den höchsten Lüften.
SOLDAT Am Graben ist ein fürchterlich Gedräng,
Die Größten, scheint's, die Ersten kämpfen dort.
ISABEAU Schwebt unsre Fahne noch?
SOLDAT   Hoch flattert sie.
40 JOHANNA
Könnt' ich nur durch der Mauer Ritze schauen,
Mit meinem Blick wollt' ich die Schlacht regieren!
SOLDAT Weh mir! Was seh ich! Unser Feldherr ist
Umzingelt!
ISABEAU *zuckt den Dolch auf Johanna:*
            Stirb Unglückliche!
SOLDAT *schnell:*   Er ist befreit.

Pferd der nordafrik. Berber

Hier: Teil der franz. Leibgarde

Im Rücken faßt der tapfere Fastolf
Den Feind – er bricht in seine dichtsten Scharen.   34

ISABEAU *zieht den Dolch zurück:*
Das sprach dein Engel!

SOLDAT   Sieg! Sieg! Sie entfliehen!

ISABEAU Wer flieht?

SOLDAT   Die Franken, die Burgunder fliehn,
Bedeckt mit Flüchtigen ist das Gefilde.

JOHANNA ⌐Gott! Gott! So sehr wirst du mich nicht
                                                    verlassen!⌐

SOLDAT Ein schwer verwundeter wird dort geführt.   34
Viel Volk sprengt ihm zu Hülf', es ist ein Fürst.

ISABEAU Der unsern einer oder fränkischen?

SOLDAT Sie lösen ihm den Helm, Graf Dünois ist's.

JOHANNA *greift mit krampfhafter Anstrengung in ihre
Ketten:*
Und ich bin nichts als ein gefesselt Weib!

SOLDAT Sieh! Halt! Wer trägt den himmelblauen Mantel 34
Verbrämt mit Gold?

JOHANNA *lebhaft:*   Das ist mein Herr, der König!

SOLDAT
Sein Roß wird scheu – es überschlägt sich – stürzt,
Er windet schwer arbeitend sich hervor –
Johanna begleitet diese Worte mit leidenschaftlichen Be-
wegungen.
Die Unsern nahen schon in vollem Lauf –
Sie haben ihn erreicht – umringen ihn –   34

JOHANNA O hat der Himmel keine Engel mehr!

ISABEAU *hohnlachend:*
Jetzt ist es Zeit! Jetzt Retterin errette!

JOHANNA *stürzt auf die Knie, mit gewaltsam heftiger
Stimme betend:*
Höre mich Gott, in meiner höchsten Not,
Hinauf zu dir, in heißem Flehenswunsch,
In deine Himmel send' ich meine Seele.   34

Du kannst die Fäden eines Spinngewebs
Stark machen wie die Taue eines Schiffs,
Leicht ist es deiner Allmacht, ehrne Bande
In dünnes Spinngewebe zu verwandeln –
70   Du willst und diese Ketten fallen ab,
Und diese Turmwand spaltet sich – du halfst
Dem ⌈Simson⌉, da er blind war und gefesselt,
Und seiner stolzen Feinde bittern Spott
Erduldete. – Auf dich vertrauend faßt' er
75   Die Pfosten seines Kerkers mächtig an,
Und neigte sich und stürzte das Gebäude –
SOLDAT Triumph! Triumph!
ISABEAU   Was ist's?
SOLDAT   Der König ist
Gefangen!
JOHANNA *springt auf:*
          So sei Gott mir gnädig!
*Sie hat ihre Ketten mit beiden Händen kraftvoll gefaßt
und zerrissen. In demselben Augenblick stürzt sie sich auf
den nächststehenden Soldaten, entreißt ihm sein Schwert
und eilt hinaus. Alle sehen ihr mit starrem Erstaunen
nach.*

⟨Zwölfter Auftritt⟩

ISABEAU *nach einer langen Pause:*
Was war das? Träumte mir? Wo kam sie hin?
80   Wie brach sie diese Zentnerschweren Bande?
Nicht glauben würd' ich's einer ganzen Welt,
Hätt' ich's nicht selbst gesehn mit meinen Augen.
SOLDAT *auf der Warte:*
Wie? Hat sie Flügel? Hat der Sturmwind sie
Hinabgeführt?
ISABEAU   Sprich, ist sie unten?

SOLDAT   Mitten

Im Kampfe schreitet sie – Ihr Lauf ist schneller   34
Als mein Gesicht – Jetzt ist sie hier – jetzt dort –
Ich sehe sie zugleich an vielen Orten!
– Sie teilt die Haufen – Alles weicht vor ihr,
Die Franken stehn, sie stellen sich auf's neu!
– Weh mir! Was seh ich! Unsre Völker werfen   34
Die Waffen von sich, unsre Fahnen sinken –
ISABEAU Was? Will sie uns den sichern Sieg entreißen?
SOLDAT

Grad' auf den König dringt sie an – Sie hat ihn
Erreicht – Sie reißt ihn mächtig aus dem Kampf.
– Lord Fastolf stürzt – Der Feldherr ist gefangen.   34
ISABEAU Ich will nicht weiter hören. Komm herab.
SOLDAT Flieht Königin! Ihr werdet überfallen.
Gewaffnet Volk dringt an den Turm heran.
er steigt herunter.
ISABEAU *das Schwert ziehend:*
So fechtet Memmen!

⟨Dreizehnter Auftritt⟩

*La Hire mit Soldaten kommt. Bei seinem Eintritt streckt
das Volk der Königin die Waffen.*
LA HIRE *naht ihr ehrerbietig:*
                          Königin, unterwerft euch
Der Allmacht – Eure Ritter haben sich   35
Ergeben, aller Widerstand ist unnütz!
– Nehmt meine Dienste an. Befehlt, wohin
Ihr wollt begleitet sein.
ISABEAU   Jedweder Ort
Gilt gleich, wo ich dem Dauphin nicht begegne.
gibt ihr Schwert ab und folgt ihm mit den Soldaten.

Die Szene verwandelt sich in das Schlachtfeld.

⟨Vierzehnter Auftritt⟩

Soldaten mit fliegenden Fahnen erfüllen den Hintergrund.
Vor ihnen der König und der Herzog von Burgund, in den
Armen beider Fürsten liegt Johanna tödlich verwundet,
ohne Zeichen des Lebens. Sie treten langsam vorwärts.
Agnes Sorel stürzt herein.

SOREL *wirft sich an des Königs Brust:*
05   Ihr seid befreit – ihr lebt – Ich hab' euch wieder!
KÖNIG Ich bin befreit – Ich bin's um diesen Preis!
     zeigt auf Johanna.
SOREL Johanna! Gott! Sie stirbt!
BURGUND   Sie hat geendet!
     Seht einen Engel scheiden! Seht wie sie da liegt,
     Schmerzlos und ruhig wie ein schlafend Kind!
10   Des Himmels Friede spielt um ihre Züge,
     Kein Atem hebt den Busen mehr, doch Leben
     Ist noch zu spüren in der warmen Hand.
KÖNIG Sie ist dahin – Sie wird nicht mehr erwachen,
     Ihr Auge wird das Ird'sche nicht mehr schauen.
15   Schon schwebt sie droben ein verklärter Geist,
     Sieht unsern Schmerz nicht mehr und unsre Reue.
SOREL Sie schlägt die Augen auf, sie lebt!
BURGUND *erstaunt:*   Kehrt sie
     Uns aus dem Grab zurück? Zwingt sie den Tod?
     Sie richtet sich empor! Sie steht!
JOHANNA *steht ganz aufgerichtet und schaut umher:*
                                   Wo bin ich?
20 BURGUND Bei deinem Volk Johanna! Bei den Deinen!
KÖNIG In deiner Freunde, deines Königs Armen!
JOHANNA *nachdem sie ihn lange starr angesehen:*
     Nein, ich bin keine Zauberin! Gewiß
     Ich bin's nicht.

KÖNIG   Du bist heilig wie die Engel,
Doch unser Auge war mit Nacht bedeckt.

JOHANNA *sieht heiter lächelnd umher:*
Und ich bin wirklich unter meinem Volk,   35
Und bin nicht mehr verachtet und verstoßen?
Man flucht mir nicht, man sieht mich gütig an?
– Ja jetzt erkenn' ich deutlich alles wieder!
Das ist mein König! Das sind Frankreichs Fahnen!
Doch meine Fahne seh ich nicht – Wo ist sie?   35
Nicht ohne meine Fahne darf ich kommen,
Von meinem Meister ward sie mir vertraut,
Vor seinem Thron muß ich sie niederlegen,
Ich darf sie zeigen, denn ich trug sie treu.

KÖNIG *mit abgewandtem Gesicht:*
Gebt ihr die Fahne!   35
*man reicht sie ihr. Sie steht ganz frei aufgerichtet, die
Fahne in der Hand – Der Himmel ist von einem rosigten
Schein beleuchtet.*

JOHANNA Seht ihr den Regenbogen in der Luft?
Der Himmel öffnet seine goldnen Tore,
Im Chor der Engel steht sie glänzend da,
Sie hält den ew'gen Sohn an ihrer Brust,
Die Arme streckt sie lächelnd mir entgegen.   35
Wie wird mir – Leichte Wolken heben mich –
Der schwere Panzer wird zum Flügelkleide.
Hinauf – hinauf – die Erde flieht zurück –
Kurz ist der Schmerz und ewig ist die Freude!
*Die Fahne entfällt ihr, sie sinkt tot darauf nieder – Alle
stehen lange in sprachloser Rührung – Auf einen leisen
Wink des Königs werden alle Fahnen sanft auf sie nieder-
gelassen, daß sie ganz davon bedeckt wird.*

Anhang

Auszüge aus den Gerichtsprotokollen
des Verfahrens gegen die historische
Jeanne d'Arc

Zweite Öffentliche Sitzung
am Donnerstag, dem 22. Februar 1431, in der Rüstkam-
mer hinter dem großen Schloßsaal

Der Bischof von Beauvais, Pierre Cauchon, 47 Beisitzer;
Johanna.

Magister Jean Beaupère, Beisitzer des Tribunals: Monseigneur der Bischof hat mich beauftragt, Euch zu verhören,
  Johanna. Wir fordern Euch unter Androhung der kano-
  nischen Strafen auf, zu schwören, wie Ihr es gestern ge-
  tan, daß Ihr die Wahrheit sagen wollt, und nichts als die
  Wahrheit!
Johanna: Es kann Fragen geben, auf die ich Euch der
  Wahrheit gemäß antworten, und andere, auf die ich nicht
  antworten werde... Wenn Ihr recht unterrichtet wäret
  über mich, Ihr müßtet wünschen, daß ich nicht in Eurer
  Gewalt sei! Ich habe nichts getan, was mir nicht durch
  Offenbarung aufgetragen wurde.
Johanna leistet den Eid.
Magister Beaupère: Wie alt wart Ihr, als Ihr das väterliche
  Haus verließt?
Johanna: Wie alt ich war? ich weiß es nicht.
Magister Beaupère: Habt Ihr in Eurer Jugend irgendeine
  Fertigkeit erworben?
Johanna: Ja, Spinnen und Nähen. Darin nehme ich es mit
  jeder Frau in Rouen auf. Als ich bei meinem Vater war,
  habe ich mich um das Hauswesen gekümmert. Die Schafe
  habe ich nicht gehütet.
Magister Beaupère: Habt Ihr jedes Jahr Eure Sünden ge-
  beichtet?

Johanna: Ja. Beim Herrn Pfarrer. Wenn er verhindert war, beichtete ich einem anderen Priester, aber nur mit seiner Zustimmung. Manchmal auch – zwei- oder dreimal, wenn ich mich recht erinnere – beichtete ich bei den Bettelmönchen. Das war in Neufchâteau. Aus Furcht vor den Burgundern hatte ich meines Vaters Haus verlassen und war nach Neufchâteau in Lothringen gegangen zu einer Frau, La Rousse, »die Fuchsige«, genannt. Dort blieb ich vierzehn Tage. Zu Ostern empfing ich den Leib des Herrn.

Magister Beaupère: Wann vernahmt Ihr Eure Stimmen zum erstenmal?

Johanna: Als ich dreizehn Jahre alt war, hatte ich eine Stimme, die von Gott kam, um mich zu leiten. Das erstemal hatte ich große Furcht. Die Stimme kam zur Mittagsstunde; es war im Sommer, im Garten meines Vaters. Ich hatte den Tag zuvor gefastet. Ich habe die Stimme gehört mir zur Rechten, von der Seite der Kirche her.

Magister Beaupère: Erscheint Euch ein Glanz, wenn Ihr die Stimme hört?

Johanna: Fast immer begleitet sie eine große Helligkeit. Dieses Licht kommt von derselben Seite, von der man die Stimme vernimmt. Dort zeigt sich meist ein heller Schein.

Magister Beaupère: Wie konntet Ihr dieses Licht erkennen, wenn es von der Seite kam?

Johanna [übergeht die Frage]: Selbst wenn ich in einem Wald wäre, vernähme ich die Stimme wohl, die auf mich zukommt.

[*Magister Beaupère:* Was dünkte Euch von dieser Stimme?]

Johanna: Mir schien die Stimme erhaben. Ich glaube, sie war mir von Gott geschickt. Beim dritten Anruf wußte ich: es war die Stimme eines Engels. Die Stimme hat mich immer recht geleitet, und ich habe sie immer verstanden.

Magister Beaupère: Was riet Euch Eure Stimme zu Eurem Seelenheil?

Johanna: Mich gut zu führen, in die Kirche zu gehen. Sie sagte mir, es sei notwendig, daß ich, Johanna, nach Frankreich ginge. Zwei-, dreimal in der Woche sagte mir die Stimme, daß ich, Johanna, nach Frankreich gehen müßte, und zwar so, daß mein Vater nichts von meinem Aufbruch wüßte. Die Stimme hieß mich, nach Frankreich zu gehen, und ich konnte nicht mehr bleiben, wo ich war. Die Stimme befahl mir, die Belagerung von Orléans aufzuheben. Sie hieß mich, Robert de Baudricourt in Vaucouleurs aufzusuchen – das war der Stadthauptmann –, daß er mir Leute gäbe, die mit mir kämen. Ich antwortete, ich sei ein armes Mädchen, das nichts vom Reiten noch von der Kriegführung verstünde. Und dann ging ich zu meinem Onkel[1]. Ich wollte dort einige Zeit bleiben. Ich blieb dort ungefähr acht Tage. Ich sagte zu meinem Onkel, ich müsse nach Vaucouleurs gehen. Und mein Onkel brachte mich dorthin. Als ich in Vaucouleurs ankam, erkannte ich Robert de Baudricourt; und dennoch hatte ich ihn nie gesehen. Ich erkannte ihn durch die Stimme. Sie sagte mir, daß er es war. Ich sagte ihm, Robert, daß ich nach Frankreich gehen müßte. Zweimal hat er mich abgewiesen. Das drittemal hat er mir die Leute gegeben. Die Stimme hatte mir vorausgesagt, daß es so kommen würde.

Der Herzog von Lothringen befahl, daß ich ihm vorgeführt würde. Ich ging zu ihm[2]. Ich sagte ihm, ich wolle nach Frankreich. Der Herzog fragte, ob er genesen würde, denn er war krank. Ich antwortete, ich wüßte es nicht[3]. Von meiner Reise sprach ich wenig. Ich bat ihn, er möge mir seinen Sohn und seine Leute mitgeben, damit

---

1 Durand Laxart, vgl. seine Aussagen im Rehabilitationsprozeß.
2 Februar 1429.
3 Charles de Lorraine starb am 25. Januar 1431.

sie mich nach Frankreich führten, und ich wollte Gott um seine Gesundheit bitten. Ich war unter sicherem Geleit zu ihm gekommen und kehrte ebenso nach Vaucouleurs zurück.

Nachdem ich Vaucouleurs verlassen hatte, erreichte ich Saint-Urbain und übernachtete in der Abtei. Ich war in Männerkleidern. Baudricourt hatte mir ein Schwert gegeben. Ich hatte keine anderen Waffen. Ein Ritter[4], ein Junker und vier Bewaffnete begleiteten mich. Unterwegs kamen wir durch Auxerre. Dort hörte ich in der Kathedrale die Messe. Und hierauf hatte ich häufig meine Stimmen.

Magister Beaupère: Wer hatte Euch geraten, Mannskleider anzulegen?

Johanna weigert sich zuerst mehrmals zu antworten.

Johanna: Damit belaste ich keinen Menschen! [Sie fährt in ihrer Erzählung fort:] Robert de Baudricourt hatte meine Begleiter schwören lassen, daß sie mich sicher geleiteten. Zu mir sagte Robert: »Geh!« – das war, als ich Abschied von ihm nahm – »geh! und es möge geschehen, was geschehen soll!«

Ich kam ohne Hindernis zum König. In der Nähe von Sainte-Catherine de Fierbois schickte ich Botschaft nach Chinon, wo sich der König aufhielt. Ich kam dort gegen Mittag an und wohnte in der Herberge. Nach der Mahlzeit ging ich zum König ins Schloß. Als ich den Saal betrat, erkannte ich ihn unter allen anderen; meine Stimme wies ihn mir. Ich sagte dem König, ich wolle den Krieg gegen die Engländer führen.

Magister Beaupère: Als die Stimme Euch Euren König bezeichnete, war da ein Licht an jener Stelle?

Johanna: Übergeht das, fahrt fort!

---

4 Jean de Nouvelompont, gen. Jean de Metz; der Junker war Bertrand de Poulengy. Beide sagen im Rehabilitationsprozeß aus.

Magister Beaupère: Ist es vielleicht ein Engel gewesen, den Ihr über Eurem König gesehen habt?

Johanna: Verschont mich! Übergeht das! Ehe der König mich ans Werk ließ, hatte er selbst mancherlei Erscheinungen und herrliche Offenbarungen.

Magister Beaupère: Welche Offenbarungen? Welche Erscheinungen?

Johanna: Ich werde es Euch nicht sagen. Erwartet keine Antwort. Schickt zum König, und er wird Euch antworten.

Meine Stimme hatte mir versprochen, der König würde mich bei meiner Ankunft empfangen. Die auf meiner Seite waren, wußten wohl, daß mir die Stimme von Gott geschickt war. Die Stimme selbst konnten sie sehen und erkennen. Das weiß ich. Ich bin dessen sicher. Der König und andere mit ihm konnten die Stimme vernehmen und schauen, die auf mich zukam. Charles de Bourbon[5] war dabei und zwei oder drei andere.

Magister Beaupère: Vernehmt Ihr oftmals jene Stimme?

Johanna: Es gibt keinen Tag, an dem ich die Stimme nicht höre; und ich bedarf ihrer. Niemals habe ich anderen Lohn erbeten als das Heil meiner Seele.

---

5 Charles de Bourbon, Graf von Clermont, regierte das Herzogtum Bourbonnais und die Grafschaft Auvergne während der Gefangenschaft seines Vaters, der von den Engländern seit der Schlacht von Azincourt zurückgehalten wurde.

Nochmalige Ermahnung
am Mittwoch, dem 23. Mai, in einem Saal des Schlosses
von Rouen, nahe dem Gefängnis

Monseigneur Cauchon, die Bischöfe von Thérouanne[6]
und von Noyon; die Magister Jean de Châtillon, Jean
Beaupère, Nicolas Midi, Guillaume Erard, Pierre Mau-
rice, André Marguerie, Nicolas de Venderès; Johanna.

Mgr Cauchon: Johanna, wir werden Euch bestimmte
Punkte darlegen lassen, in denen Ihr nach dem Urteil
der Theologischen Fakultät und der Fakultät des Kanonischen Rechts der Universität Paris geirrt und versagt
habt. Wir ermahnen und beschwören Euch, abzulassen
von den Freveln und Irrtümern, Euch zu bessern und zu
ändern und Euch der Korrektur und dem Urteil unserer
Heiligen Mutter der Kirche zu unterwerfen.
Darauf wird der lateinische Text des Schriftstücks[7] durch
den Domherrn Pierre Maurice Johanna vorgelesen und
erklärend übersetzt wie folgt:
I. Du hast gesagt und behauptet, Johanna, daß Du
etwa seit Deinem dreizehnten Lebensjahr Offenbarungen und Erscheinungen von Engeln, dem Heiligen Michael, dem Heiligen Gabriel, der Heiligen Katharina
und der Heiligen Margareta gehabt, und daß Du sie
mit Deinen leiblichen Augen häufig gesehen habest;
daß jene oft mit Dir gesprochen und sprechen und Dir

---

6 Bischof von Thérouanne, Louis de Luxembourg, Kanzler von Henry VI., Bruder des Jean de Luxembourg, der Johanna dem Bischof
von Beauvais auslieferte.
7 Es handelt sich um die Zusammendrängung der siebzig Punkte
umfassenden Anklageakte auf die zwölf grundlegenden Schuldar-
tikel, deren Urheberschaft ungeklärt bleibt [vgl. die Aussage von
Guillaume Manchon], die beginnen: »Et primo quaedam foemina«,
und die laut Urteil im Rehabilitationsprozeß von Gerichts wegen
zerrissen werden.

mehrfach Weisungen gegeben, die in Deinem Prozeß niedergelegt sind.

Was diesen Artikel angeht, so haben die Gelehrten der Universität Paris und andere die Art der Offenbarungen, den Zweck der Erscheinungen erwogen, sowie den Inhalt der geoffenbarten Dinge und Deine Person. Sie sind der Meinung, daß diese Dinge Lügen, Verführungen und Missetaten, daß diese Offenbarungen und Erscheinungen Aberglaube, Sinnestäuschungen sind, böse und vom Teufel.

II. Du hast gesagt, daß Dein König ein Zeichen erhielt, woran er erkannte, daß Du von Gott gesandt seist, nämlich, daß der Heilige Michael, begleitet von einer Schar von Engeln – wovon einige Flügel hatten, andere Kronen, unter denen auch die Heilige Katharina und die Heilige Margareta waren –, mit Dir ins Schloß Chinon kam; daß alle mit Dir zusammen die Stufen des Schlosses erklommen bis zu dem Gemach Deines Königs. Und der Engel überreichte dem König die kostbarste Krone aus reinstem Gold. Und der Engel verneigte sich vor dem König und erwies ihm seine Reverenz. Und einmal hast Du gesagt, als der König das Zeichen erhielt, war er allein. Ein andermal hast Du gesagt, daß die Krone – die Du das Zeichen nennst – dem Erzbischof von Reims übergeben wurde, der sie Deinem König in Gegenwart zahlreicher Fürsten und Herren, deren Namen Du genannt, weiterreichte.

Was diesen Artikel angeht, so halten ihn die Gelehrten für unwahrscheinlich, verlogen, verführerisch, vermessen und die Würde der Engel beleidigend.

III. Du hast gesagt, daß Du die Engel und die Heiligen erkanntest an dem guten Rat, dem Trost und den Weisungen, die sie Dir gegeben – auch daran, daß sie sich Dir genannt und die Heiligen Dich gegrüßt haben. Du glaubst auch, daß es der Heilige Michael gewesen, der

Dir erschienen ist; daß seine Worte und Werke gut sind. Du glaubst es ebenso fest, wie Du glaubst, daß Christus der Herr gelitten hat und gestorben ist um unserer Erlösung willen.

Was diesen Artikel angeht, so sind die Gelehrten der Meinung, daß dies nicht ausreichende Zeichen sind, um die Engel und die oben genannten Heiligen zu erkennen; daß Du leichtgläubig warst und es freventlich behauptet hast und darüber hinaus in dem angestellten Vergleich im Glauben irrst.

IV. Du hast gesagt, daß Du sicher seist über kommende Geschehnisse und daß Du Geheimnisse känntest; ebenso, daß Du Personen erkannt habest, ohne sie je vorher gesehen zu haben, und das, dank der Stimmen der Heiligen Katharina und der Heiligen Margareta. Was diesen Artikel angeht, so sind die Gelehrten der Meinung, das sei Aberglaube, Wahrsagerei, anmaßende Behauptung, eitle Großsprecherei.

V. Du hast gesagt, daß Du auf Geheiß Gottes und nach Seinem Willen Mannskleider trugst und fortfährst, sie zu tragen. Und unter dem Vorwand, daß Du auf den Befehl Gottes diese Kleidung trägst, hast Du wieder ein kurzes Wams angelegt und Beinkleider, mit Schnürbändern zusammengehalten; Du trägst darüber hinaus die Haare kurz geschnitten über den Ohren, was nichts mehr an Dir läßt, das zeigt, daß Du weiblichen Geschlechts bist außer dem, was die Natur selbst Dir verliehen hat; und in diesem Anzug hast Du häufig das Sakrament der Eucharistie empfangen. Und obwohl man Dich mehrfach aufgefordert hat, das zu lassen, hast Du nichts dergleichen tun wollen, hast im Gegenteil versichert, daß Du lieber sterben wolltest, als diese Kleidung aufgeben, es sei denn auf das Gebot Gottes hin; und Du hast gesagt, wenn Du weiterhin in dieser Kleidung mit denen Deiner Partei wärst, so wäre das eine große Wohltat für Frankreich.

Und Du sagst auch, daß Du um nichts in der Welt einen Eid leisten willst, diese Gewandung und die Waffen nicht mehr zu tragen. Und in allem behauptest Du, gut zu tun und nach dem Willen Gottes.

Was diesen Artikel angeht, so sind die Gelehrten der Meinung, daß Du Gott lästerst und Ihn höhnst in Seinen Sakramenten, das göttliche Gesetz übertrittst, die Heilige Schrift und die kanonischen Verordnungen, daß Du falsch denkst und im Glauben irrst; Dich eitel brüstest und Dich der Abgötterei verdächtig machst und der Entweihung Deiner selbst und Deiner Kleidung, indem Du den Brauch der Heiden nachahmst.

VI. Du hast gesagt, daß Du in Deinen Briefen oft die Namen *Jesus-Maria* und das Zeichen des Kreuzes gesetzt hast, was bedeuten soll, daß die, welchen Du schreiben ließest, nicht tun sollten, was die Briefe enthielten. In anderen hast Du geprahlt, die, welche Dir nicht gehorchen wollten, töten zu lassen und daß man an den Schlägen sähe, wer das größere Recht habe vor Gott.

Was diesen Artikel angeht, so sind die Gelehrten der Meinung, daß Du eine Verräterin bist, unredlich, grausam, nach Menschenblut dürstest, verführerisch, aufrührerisch bist, zur Tyrannei aufhetzend und Gott in seinen Befehlen und Offenbarungen lästerst.

VII. Du sagst, daß Du auf Grund der Offenbarungen, die Dir im Alter von siebzehn Jahren widerfuhren, die Wohnung Deiner Eltern gegen deren Willen verlassen hast, worüber sie außer sich gerieten; und Du bist zu Robert de Baudricourt gegangen, der auf Dein Ansuchen hin Dir Mannskleider gab, Schwert und Begleiter, um Dich zu dem zu führen, den Du Deinen König nennst; und als Du vor ihn kamst, sagtest Du ihm, Du seist gekommen, seine Feinde zu strafen, und Du hast ihm versprochen, ihn zum Herrn einzusetzen und daß er den Sieg über seine Gegner davontrüge, da Gott Dich dazu gesandt hätte.

Du behauptest, daß Du damit recht getan, gehorsam gegen Gott und Deinen Offenbarungen gemäß gehandelt hast.

Was diesen Artikel angeht, so sind die Gelehrten der Meinung, daß Du ruchlos gegen Deine Eltern gehandelt, ungetreu dem Gebot Gottes betreffs der den Eltern gebührenden Ehrerbietung, daß Du schändlich und gotteslästerlich im Glauben geirrt, und anmaßende und voreilige Versprechungen gegeben hast.

VIII. Du hast gesagt, daß Du aus freiem Entschluß von dem Turm in Beaurevoir gesprungen bist, da Du lieber sterben als den Engländern ausgeliefert sein und das Verderben von Compiègne überleben wolltest; und auch, daß die Heilige Katharina und die Heilige Margareta Dir verboten hätten, herunterzuspringen; Du hast trotzdem nicht an Dich halten können; und obgleich dies eine große Sünde war, diese Heiligen zu kränken, so hast Du dennoch durch Deine Stimmen gewußt, daß Gott Dir verziehen, nachdem Du gebeichtet hattest.

Was diesen Artikel angeht, so sind die Gelehrten der Meinung, daß Kleinmut und Verzagtheit zur Verzweiflung führte und Deinen Selbstmordversuch erklärt. Was die Vergebung Deiner Sünde, die Du vorgibst erhalten zu haben, angeht, so ist diese Versicherung anmaßend und verwegen. Du hast eine falsche Auffassung von der Freiheit des menschlichen Willens.

IX. Du hast gesagt, daß die Heilige Katharina und die Heilige Margareta Dir versprachen, Dich ins Paradies zu führen, vorausgesetzt, daß Du Deine Jungfräulichkeit Deinem Gelübde und Versprechen gemäß bewahrtest; und Du bist dessen so gewiß, als seist Du bereits in der Glorie der Seligen, und glaubst nicht, Werke der Todsünde vollbracht zu haben; und Du meinst, die Heiligen würden Dich nicht täglich aufsuchen, so wie sie es tun, wenn Du in schwerer Sünde lebtest.

Was diesen Artikel angeht, so sind die Gelehrten der Meinung, daß es sich dabei um anmaßende und leichtfertige Behauptungen, gefährliche Lügen handelt, die Deinen früheren Behauptungen widersprechen, und darüber hinaus, daß Du in bezug auf den Glauben eine irrige Meinung vertrittst.

X. Du hast gesagt, Du wüßtest wohl, daß Gott bestimmte lebende Personen mehr liebe als Dich; und Du wüßtest es durch die Offenbarung der Heiligen Katharina und der Heiligen Margareta; diese Heiligen sprächen französisch und nicht englisch, da sie nicht von der Partei der Engländer seien; und, nachdem Du verstanden, daß die Stimmen für jenen waren, den Du Deinen König nennst, hättest Du die Burgunder abgelehnt.

Was diesen Artikel angeht, so sind die Gelehrten der Meinung, daß es sich hier um anmaßende Behauptung, abergläubische Wahrsagerei, Lästerung der Heiligen Katharina und der Heiligen Margareta handelt und um Übertretung des Gebotes, den Nächsten zu lieben.

XI. Du hast gesagt, daß Du denen, die Du den Heiligen Michael, die Heilige Katharina und die Heilige Margareta nennst, wiederholt Deine Ehrerbietung erwiesen habest, indem Du niederknietest, Deine Kopfbedeckung abnahmst, die Erde küßtest, worüber sie gegangen, und ihnen Jungfräulichkeit gelobt hast, daß Du diese Heiligen küßtest, umarmtest und sie anriefst, daß Du ihren Befehlen seit ihrer ersten Erscheinung Glauben geschenkt, ohne den Pfarrer um Rat zu fragen noch einen anderen Geistlichen. Was diesen Artikel angeht, so sind die Gelehrten folgender Meinung: angenommen, Du habest die Offenbarungen und Erscheinungen, deren Du dich rühmst, in der angegebenen Weise empfangen, so bist du eine Götzendienerin, Beschwörerin der bösen Geister, und irrgläubig. Du hast unbesonnene Behauptungen aufgestellt und hast einen unerlaubten Eid geleistet.

XII.   Du hast gesagt, wenn Dich die Kirche das Gegenteil von dem tun heiße, was Du angeblich auf Gottes Befehl hin getan, so wolltest Du ihr um nichts auf der Welt gehorchen; und daß Du wohl wüßtest, daß das, was in Deinem Prozeß enthalten ist, von Gott kommt. Und Du wolltest Dich nicht auf das Urteil der Kirche auf Erden verlassen, noch auf sonst einen Menschen in der Welt, sondern auf Gott allein. Du hast ferner gesagt, diese und andere Antworten seien nicht aus Dir selbst gekommen, sondern auf Befehl Deiner Stimmen und Offenbarungen, obwohl Dir der Glaubensartikel, welcher lautet »eine heilige katholische Kirche ...« von Deinen Richtern und anderen öfter erklärt und Dir dargelegt wurde, daß jeder Gläubige seine Worte und Werke, besonders wenn sie den Glauben und die heilige Lehre angehen, der streitenden Kirche unterwerfen muß. Was diesen Artikel angeht, so sind die Gelehrten der Meinung, daß Du abtrünnig, irrgläubig über die Einheit und Autorität der Kirche denkst, und bis auf diesen Tag ketzerisch und hartnäckig verstockt bist.

Derselbe Domherr Pierre Maurice richtet sodann eine Mahnrede an Johanna, beginnend:

Johanna, teuerste Freundin, nun – fast am Ende Eures Prozesses – ist es an der Zeit, Euch wohl zu bedenken ... [er fährt fort:] Nehmt an, der König hätte Euch eine Festung zu bewachen anvertraut und Euch verboten, jemanden einzulassen. Da kommt einer, der erklärt, er käme von der Partei des Königs; wenn er Euch kein Sendschreiben oder ein anderes sicheres Zeichen vorweisen kann, dürft Ihr ihm nicht glauben noch ihn empfangen. Ebenso vertraute Unser Herr Jesus Christus die Herrschaft seiner Kirche dem Heiligen Petrus und dessen Nachfolgern an. Er verbot, jemals solche, die in Seinem Namen kämen, aufzunehmen, wenn sie nicht andere Beweise als ihre Behauptungen erbrächten.

Ich rate Euch, Johanna, fordere Euch auf, beschwöre Euch bei der Inbrunst, die Ihr dem Leiden Eures Schöpfers entgegenbringt, und der Angst, die Ihr für das Heil Eurer Seele und Eures Leibes hegt, ändert Euch! Bessert Euch! Kehrt auf den Weg der Wahrheit zurück, indem Ihr der Kirche gehorcht und Euch ihrem Urteil und ihrer Entscheidung unterwerft!

Johanna: Das, was ich immer gesagt und aufrechterhalten habe in dem Prozeß, das will ich aufrechterhalten auch jetzt. Wenn ich vor der Verurteilung stünde und sähe das Feuer glühen, die Reisigbündel entzündet und den Henker bereit, das Feuer zu schüren, wenn ich selbst im Feuer wäre ... ich sagte nichts anderes; ich würde, was ich im Prozeß gesagt, aufrechterhalten – bis in den Tod.

Erste Urteilsverkündung
am Donnerstag nach Pfingsten, dem 24. Mai, Platz auf dem Friedhof der Abtei Saint-Ouen von Rouen[8]

Monseigneur Cauchon, Henry Beaufort, Bischof von Winchester, Kardinal von England, die Bischöfe von Thérouanne, von Noyon, von Norwich, die Magister Jean Beaupère, Jean de Châtillon, der Abt von Fécamp, Nicolas Midi, Guillaume Bouchier, Jean le Fèvre, Pierre de Houdenc, Pierre Maurice ... Guillaume de Haiton, Nicolas de Coppequesne, Thomas de Courcelles, Richard de Grouchet, Pierre Minier, Jean Pigache, Raoul Roussel, Nicolas de Venderès, Jean Pinchon, André Marguerie, das gesamte Tribunal, eine große Menschenmenge.

---

8 Die Szene ist der sogenannte Glaubensakt, span. »auto-de-fe«, d. h. ursprünglich die öffentliche Verkündung der durch die Inquisition wegen Ketzerei erlassenen Urteile.

Johanna auf einem Gerüst.

Guillaume Erard: Johanna: Hier sind Eure Richter, die Euch zu wiederholten Malen aufgefordert und gebeten haben, Euch Unserer heiligen Mutter, der Kirche, zu unterwerfen, die Euch entdeckt und offenbar gemacht haben, daß in Euren Worten und Werken viele Dinge sind, die gemäß der Meinung der Geistlichen unhaltbar und irrgläubig sind.

Johanna: Was die Unterwerfung unter das Urteil der Kirche angeht, so habe ich schon geantwortet. Was mein Tun betrifft, so möge man es vor den Heiligen Vater, den Papst in Rom, bringen, auf welchen ich mich nächst Gott berufe. Meine Worte und Werke habe ich auf Gottes Geheiß vollbracht. Ich lege sie niemandem zur Last: weder dem König noch einem anderen; und wenn daran ein Falsch ist, so fällt es auf mich und auf niemand anderen zurück.

Guillaume Erard: Wollt Ihr Eure Worte und Werke, die verworfen sind, widerrufen?

Johanna: Ich überlasse es Gott und der Entscheidung unseres Heiligen Vaters, des Papstes.

Guillaume Erard: Aber das genügt nicht! Man kann nicht Unseren Heiligen Vater von so weit herholen! Die Zuständigen sind Richter, jeder in seiner Diözese. Ihr müßt es der Entscheidung unserer heiligen Mutter, der Kirche, überlassen. Ihr müßt befolgen, was die Geistlichen und die Gelehrten sagen und über Eure Worte und Werke beschlossen haben.

Widerruf

Nach drei weiteren vergeblichen Ermahnungen beginnt Monseigneur Cauchon, das Urteil zu verkünden. Er hat schon einen Teil gelesen, als Johanna ihn plötzlich unterbricht und ausruft:

Johanna: Ich will alles befolgen, was die Richter der Kirche sagen und verfügen. Ich will ihrem Befehl und Willen gehorchen. Da die Geistlichen sagen, daß meine Erscheinungen und Offenbarungen weder aufrechtzuerhalten noch zu glauben sind, so will ich sie nicht aufrechterhalten. Ich überlasse mich gänzlich dem Urteil der Richter und unserer heiligen Mutter, der Kirche.

Vor dem Tribunal, der dichten Menge des Klerus und des Volkes spricht Johanna ihren Widerruf gemäß einem französischen Schriftstück, das ihr vorgelesen wird und das sie nachspricht und mit eigener Hand unterzeichnet.

Ich, *Jehanne*, die Jungfrau genannt, armselige Sünderin, bekenne, daß ich abtrünnig war und irrgläubig; nachdem ich die Fallstricke der Irrtümer, in denen ich befangen war, erkannt habe, bin ich durch die Gnade Gottes zu unserer heiligen Mutter, der Kirche, zurückgekehrt; damit man sehe, daß ich nicht nur scheinbar, sondern aufrichtigen Herzens und guten Willens zurückgekehrt bin, bekenne ich, daß ich schwer gesündigt habe, indem ich lügnerisch vorgab, Offenbarungen und Erscheinungen von Gott, durch die Engel, die Heilige Katharina und die Heilige Margareta gehabt zu haben, andere verführte, und, indem ich leichtfertig und töricht glaubte, abergläubisch wahrsagte, Gott und Seine Heiligen lästerte, das göttliche Gesetz, die Heilige Schrift und die kanonischen Verordnungen übertrat, unanständige Kleider trug, die Haare nach Männerart geschnitten gegen alle Schicklichkeit des weiblichen Geschlechtes, daß ich auch Rüstung trug in großer Anmaßung, auf grausames Blutvergießen aus war, und sagte, ich hätte alles auf Befehl Gottes, der Engel und der oben genannten Heiligen getan, und ich hätte darin recht gehandelt und nicht gefehlt; daß ich Gott und Seine Sakramente verächtlich gemacht habe, daß ich Aufruhr erregt und Götzendienerei getrieben, indem ich die bösen Geister verehrte und anrief.

Ich bekenne auch, daß ich abtrünnig gewesen bin und auf mancherlei Weise im Glauben geirrt habe. Diesen Vergehen und Irrtümern schwöre ich aufrichtigen Herzens und ohne Verstellung ab, verabscheue sie, verleugne sie und wende mich ab von ihnen. Durch die Gnade Unseres Herrn und durch die heilige Lehre und Euren und der Doktoren und der Magister guten Rat bin ich auf den Weg der Wahrheit zurückgekehrt. In allen genannten Dingen unterwerfe ich mich der Züchtigung, der Besserung und der vollkommenen Entscheidung unserer heiligen Mutter, der Kirche, und Eurer großen Gerechtigkeit. Auch schwöre und verspreche ich meinem Herrn, dem Heiligen Petrus, dem Fürsten der Apostel und seinem Statthalter, unserem Heiligen Vater, dem Papst in Rom, und seinen Nachfolgern und Euch, Ihr Herren, Monseigneur Herr Bischof von Beauvais, Euch, geistlicher Herr, Bruder Jean le Maistre, Stellvertreter des Herrn Inquisitors in Sachen des Glaubens, als meinen Richtern, daß ich nie mehr, weder auf Überredung noch sonstwie zu den oben genannten Irrtümern zurückkehren werde, von denen es Unserem Herrn gefallen hat, mich zu befreien und zu erretten; sondern für immer in der Einheit unserer heiligen Mutter, der Kirche, und im Gehorsam unseres Heiligen Vaters, des Papstes in Rom, bleiben werde.

Und dieses sage ich, versichere und beschwöre ich bei Gott, dem Allmächtigen und bei Seinen Heiligen Evangelien. Und zum Zeichen dessen habe ich dieses Schriftstück mit meiner Unterschrift versehen

Zweite Urteilsverkündung

Mgr Cauchon: Im Namen des Herrn, Amen. Endlich, nach häufiger, liebevoller Ermahnung und langem Harren bist Du durch Gottes Beistand in den Schoß der heiligen Mutter, der Kirche, zurückgekehrt, und hast, wie wir annehmen, mit reuigem Herzen und ehrlichem Glauben widerrufen, und Deinen in öffentlicher Predigt verworfenen Irrtümern, samt aller Ketzerei mit eigener Stimme und in mündlicher Rede abgeschworen. Den kirchlichen Vorschriften gemäß sprechen Wir Dich hiermit von den Banden des Kirchenbannes, durch welche Du gefesselt warst, los, vorausgesetzt, daß Du wirklich reuigen Herzens und ehrlichen Glaubens zurückkehrst und befolgst, was Wir Dir auferlegen.

Weil Du Dich jedoch gegen Gott und die heilige Kirche freventlich vergangen hast, verurteilen Wir Dich endgültig und unwiderruflich – unter Vorbehalt Unserer Begnadigung und Strafermäßigung – zur Übung heilsamer Buße zu dauerndem Kerker beim Brot der Schmerzen und beim Wasser der Traurigkeit, damit Du dort das Begangene beweinst und das Beweinte fürder nicht mehr begehst.

Ende des Primum judicium

Kommentar

Zeittafel

1759   Johann Christoph Friedrich Schiller wird am 10. 11. in Marbach am Neckar geboren. Der Vater, Johann Caspar Schiller (1723–1796), ist Wundarzt und Leutnant im Regiment von Herzog Karl Eugen von Württemberg (1728–1793), die Mutter, Elisabeth Dorothea Schiller, geb. Kodweiß (1732–1802), ist eine Gastwirtstochter. Schwestern: Elisabetha Christophina Friederika (1757–1847), Luise Dorothea Katharina (1766–1836), Maria Charlotte (1768–1774), Beata Friederike (Mai–Dezember 1773), Nanette (Karoline Christiane) (1777–1796).

1765   Besuch der Dorfschule in Lorch sowie Latein- und Griechischunterricht bei Pfarrer Philipp Ulrich Moser (1720–1792).

1767   Eintritt in die Lateinschule in Ludwigsburg.

1773   Januar: Eintritt in die ›Militär-Pflanzschule‹ des Herzogs Karl Eugen von Württemberg (1728–1793) auf Schloss Solitude bei Stuttgart, aus der die Hohe Karlsschule hervorgeht.

1774   Januar: Beginn des juristischen Studiums an der Militär-Akademie in Stuttgart.

1776   Anfang des Jahres: Wechsel vom Jura- zum Medizinstudium an der Hohen Karlsschule; im *Schwäbischen Magazin* erscheint der erste gedruckte Text, das Gedicht *Der Abend*.

1777   Intensive Arbeit am Drama *Die Räuber*.

1779   November: Ablehnung der ersten medizinischen Dissertation *Philosophie der Physiologie*.

1780   Ausarbeitung der *Räuber*. November: Die neue Dissertation wird angenommen und gedruckt: *Versuch über den Zusammenhang der tierischen Natur des Menschen mit seiner geistigen*. Dezember: Entlassung aus der Militär-Akademie und Anstellung als Regimentsmedikus in Stuttgart.

1781   Mai/Juni: Das Drama *Die Räuber. Ein Schauspiel* erscheint anonym im Selbstverlag mit fingiertem Druckort.

1782   Januar: Uraufführung der *Räuber* am Mannheimer Na-
        tionaltheater wird zu einem außerordentlichen Erfolg;
        Schiller ist ohne Beurlaubung inkognito anwesend.
        Nach einer zweiten Mannheim-Reise im Juli Bestrafung
        mit 14 Tagen Arrest. Februar: Die Gedichtsammlung
        Anthologie auf das Jahr 1782 erscheint. August: Verbot
        der nichtmedizinischen Schriftstellerei durch Herzog
        Karl Eugen. September/Oktober: Flucht aus Stuttgart
        zusammen mit Andreas Streicher (1761–1833) nach
        Mannheim und weiter nach Oggersheim; unterwegs Be-
        schäftigung mit den Plänen zum Drama *Louise Millerin*.
        Dezember–Juli 1783: Weiterarbeit an *Louise Millerin*
        während des Aufenthalts auf dem Gut von Henriette
        von Wolzogen (1745–1788) in Bauerbach bei Meinin-
        gen in Thüringen.

1783   April und Juli: Das Drama *Die Verschwörung des Fiesco
        zu Genua. Ein republikanisches Trauerspiel* erscheint
        und wird in Bonn uraufgeführt. September: Anstellung
        als Theaterdichter am Nationaltheater Mannheim;
        schwere Erkrankung an Malaria.

1784   Januar: Erstaufführung des *Fiesco* in Mannheim. Vor-
        schlag des Schauspielers August Wilhelm Iffland (1759–
        1814), *Louise Millerin* in *Kabale und Liebe* umzube-
        nennen. April: Uraufführung des Dramas *Kabale und
        Liebe. Ein bürgerliches Trauerspiel in fünf Aufzügen*
        in Frankfurt, Erstaufführung in Mannheim. Mai: Be-
        kanntschaft mit Charlotte von Kalb (1761–1843). Juni:
        Programmatische Rede in der Kurfürstlichen Deutschen
        Gesellschaft in Mannheim: *Vom Wirken der Schaubüh-
        ne auf das Volk*, später gedruckt als *Die Schaubühne als
        moralische Anstalt betrachtet*. August: Vertrag des
        Mannheimer Theaters wird nicht verlängert. Dezember:
        Vorlesung des 1. Aktes von *Don Karlos* am Darmstädter
        Hof in Gegenwart von Herzog Karl August von Sach-
        sen-Anhalt-Weimar (1757–1828), der Schiller den Titel
        eines »Weimarischen Rates« verleiht.

1785   März: Das erste Heft der *Rheinischen Thalia* erscheint
        (später u. d. T. *Thalia* bzw. *Neue Thalia*). April: Reise

nach Leipzig; Beginn der lebenslangen Freundschaft mit dem Dichter Christian Gottfried Körner (1756–1831), in dessen Weinberghaus in Loschwitz bei Dresden er wohnt. Mai: Bekanntschaft mit dem Verleger Georg Joachim Göschen (1752–1828). Intensive Arbeit am Drama *Don Karlos* sowie historische Studien.

1786 Februar: Das zweite Heft der *Thalia* erscheint; enthalten sind u. a. das Gedicht *An die Freude* und die Erzählung *Verbrecher aus Infamie* (später *Der Verbrecher aus verlorener Ehre*).

1787 Juni: Das Drama *Dom Karlos. Infant von Spanien* erscheint. Juli: Reise nach Weimar, wo er Bekanntschaft macht mit Christoph Martin Wieland (1733–1813), Johann Gottfried Herder (1744–1803), Christian August Vulpius (1762–1827). August: In Jena Kontakt mit dem Philosophen Karl Leonhard Reinhold (1757–1823); Uraufführung des Dramas *Don Karlos* in Hamburg. Dezember: In Rudolstadt erstes Zusammentreffen mit seiner späteren Frau Charlotte von Lengefeld (1766–1826).

1788 März: Als Beitrag zum *Teutschen Merkur* entsteht das Gedicht *Die Götter Griechenlands*. Juli: Die ersten vier *Briefe über Don Karlos* erscheinen im *Teutschen Merkur* (die Briefe 5–12 erscheinen im Dezember). September: Erste persönliche Begegnung mit Johann Wolfgang Goethe (1749–1832) in Rudolstadt. Oktober: *Geschichte des Abfalls der vereinigten Niederlande von der spanischen Regierung* (Teil 1) erscheint. Dezember: Goethe schlägt Schiller für eine außerordentliche Professur in Jena vor; Ernennung zum außerordentlichen Professor für Philosophie (unbesoldet).

1789 April: Verleihung der Doktorwürde der philosophischen Fakultät zu Jena. Mai: Umzug nach Jena und Antrittsvorlesung *Was heißt und zu welchem Ende studiert man Universalgeschichte?* August: Verlobung mit Charlotte von Lengefeld (Bekanntgabe im Dezember). November: Buchausgabe der Erzählung *Der Geisterseher. Eine Geschichte aus den Memoires des Grafen von O***

erscheint (seit 1787 als Fortsetzungsroman in der *Thalia*
gedruckt). Dezember: Beginn der Freundschaft mit Wilhelm von Humboldt (1767–1835) in Weimar.

1790   Januar: Ernennung zum Hofrat des Herzogtums Mei-
ningen; Gewährung eines Jahressalärs von 200 Talern
durch Herzog Karl August. Februar: Hochzeit mit Charlotte von Lengefeld. Oktober: *Geschichte des Dreißigjährigen Krieges*, 1. und 2. Buch.

1791   Ausbruch der später chronisch werdenden Krankheit
(Lungen- und Rippenfellentzündung). Beginn des inten-
siven Studiums der Schriften Immanuel Kants (1724–
1804). Juli: Erholungsreise nach Karlsbad. November:
Geschichte des Dreißigjährigen Krieges, 3. Buch. Dezember: Herzog Friedrich Christian von Holstein-Augu-
stenburg (1765–1814) und dessen Finanzminister Ernst
Heinrich Graf von Schimmelmann (1747–1831) gewähren ein dreijähriges Stipendium zur Wiederherstellung
der Gesundheit und für ungestörte Arbeit.

1792   August: Verleihung des französischen Bürgerrechts der
französischen Nationalversammlung (»Citoyen Fran-
çais«). Der erste Teil der *Kleineren prosaischen Schriften* erscheint. Herbst: Abschluss der *Geschichte des
Dreißigjährigen Krieges*; Vorlesungen über Ästhetik.
Dezember: Erste Aufführung von *Kabale und Liebe* in
Stuttgart, weitere Vorstellungen werden verboten.

1793   Vorlesungen über Ästhetik. Juni: Die Abhandlung *Über
Anmut und Würde* erscheint in der *Neuen Thalia*. August: Längere Reise mit seiner Frau nach Württemberg.
September: Geburt des Sohnes Karl Friedrich Ludwig
(1793–1857) in Ludwigsburg; die Abhandlung *Vom Erhabenen* erscheint in der *Neuen Thalia*.

1794   März: Übersiedlung nach Stuttgart. Zusammentreffen
mit dem Verleger Johann Friedrich Cotta (1764–
1832). Mai: Rückkehr nach Jena. Freundschaftlicher
Verkehr mit Wilhelm von Humboldt und Johann Gott-
lieb Fichte (1762–1814). Juli: Begegnung und intensives
Gespräch mit Goethe in Jena bei der Tagung der Natur-
forschenden Gesellschaft (»Glückliches Ereignis«). Au-

170

gust: Schillers »Geburtstagsbrief« leitet die Freundschaft mit Goethe ein.

1795   Januar: Die erste Nummer der Zeitschrift *Die Horen* erscheint bei Cotta (letzte Ausgabe 1797); darin u. a. in Fortsetzungen: *Über die ästhetische Erziehung des Menschen, in einer Reihe von Briefen* und *Über naive und sentimentalische Dichtung*. März/April: Ablehnung der Berufung als Philosophieprofessor nach Tübingen. Wiederaufnahme der seit Jahren unterbrochenen lyrischen Produktion mit dem Gedicht *Poesie des Lebens*; zahlreiche Gedichte. Dezember: Herausgabe des *Musen-Almanachs für das Jahr 1796* mit vielen Gedichten.

1796   Juli: Geburt des Sohnes Ernst Friedrich Wilhelm (1796–1841). September: Tod des Vaters. Der *Musen-Almanach für das Jahr 1797* erscheint, darin neben zahlreichen Gedichten die gemeinsam mit Goethe verfassten *Xenien*.

1797   Ab Juni: Die Balladen *Der Taucher*, *Der Handschuh*, *Der Ring des Polykrates* und *Die Kraniche des Ibykus* u. a. entstehen. Oktober: Der *Musen-Almanach für das Jahr 1798* (»Balladen-Almanach«) erscheint.

1798   März: Ernennung zum Honorarprofessor der Universität Jena. Anfang Mai: Einzug ins Jenaer Gartenhaus. Oktober: Das Drama *Wallensteins Lager* wird bei der Einweihung des umgebauten Weimarer Theaters uraufgeführt.

1799   Uraufführung der Dramen *Die Piccolomini* (Januar) und *Wallensteins Tod* (April) in Weimar. September: Verdoppelung des Hofratssaläers auf 400 Taler jährlich. Oktober: Geburt der Tochter Karoline Henriette Luise (1799–1850). *Das Lied von der Glocke* u. a. erscheint im *Musen-Almanach für das Jahr 1800*. Dezember: Umzug nach Weimar.

1800   Januar–März: Bühnenbearbeitung von Shakespeares Drama *Macbeth* (Uraufführung im Mai in Weimar). Februar: Schwere Erkrankung an Nervenfieber. Juni: Uraufführung des Dramas *Maria Stuart. Trauerspiel in fünf Aufzügen* in Weimar. Die *Wallenstein*-Trilogie erscheint. Juli: Beginn der Arbeit an *Die Jungfrau von Orleans*. August: Der zweite Teil der *Kleineren prosaischen Schriften* und der erste Teil der *Gedichte* erscheinen.

1801 März: Rückzug ins Jenaer Gartenhaus, Arbeit an der *Jungfrau von Orleans*. April: *Maria Stuart* erscheint. Mai: Der dritte Teil der *Kleineren prosaischen Schriften* erscheint (darin u. a. die Abhandlung *Über das Erhabene*). August: Reise nach Dresden zu Körner. September: Uraufführung von *Die Jungfrau von Orleans. Eine romantische Tragödie* in Leipzig. Oktober: *Die Jungfrau von Orleans* erscheint im *Kalender auf das Jahr 1802* bei Johann Friedrich Unger in Berlin. November: Uraufführung von Gotthold Ephraims Lessings (1729–1781) Drama *Nathan der Weise* in Schillers Bearbeitung in Weimar.

1802 April: Tod der Mutter. Einzug in das neuerworbene Haus an der Esplanade in Weimar (»Schillerhaus«). Mai: Der vierte Teil der *Kleineren prosaischen Schriften* erscheint (darin u. a. *Gedanken über den Gebrauch des Gemeinen und Niedrigen in der Kunst*). Sommer: längere Krankheitsperiode. August: Beginn der Arbeit an der *Braut von Messina*. November: Erhebung in den erblichen Adelsstand.

1803 März: Uraufführung des Dramas *Die Braut von Messina oder die feindlichen Brüder. Ein Trauerspiel mit Chören* in Weimar (erscheint im Juni). Mai: Der zweite Teil der *Gedichte* erscheint. Dezember: Zusammentreffen mit Madame de Staël (1766–1817).

1804 März: Beginn der Ausarbeitung des Dramas *Demetrius*. Uraufführung des Dramas *Wilhelm Tell. Ein Schauspiel* in Weimar (erscheint im Oktober). April/Mai: Reise nach Berlin. Juni: Verdoppelung des Gehalts auf 800 Taler jährlich. Juli: Geburt der Tochter Emilie Henriette Luise (1804–1872). November: Uraufführung des Dramoletts *Die Huldigung der Künste. Ein lyrisches Spiel* zu Ehren des Erbprinzen Karl Friedrich (1783–1853) und Maria Paulowna (1786–1859) in Weimar.

1805   Januar: Abschluss der Übersetzung von Jean Racines
(1639–1699) Drama *Phèdre* und Uraufführung in Weimar. Februar: schwere Erkrankung. Bis Ende April: Arbeit am *Demetrius*. Mai: letzte Begegnung mit Goethe.
Am 9. 5. stirbt Schiller an den Folgen einer schweren
Lungenentzündung. In der Nacht zum 12. 5. wird er
auf dem alten Friedhof der St. Jakobskirche in einem
Massengrab im Landschaftskassengewölbe, der Grab-
stätte für Standespersonen ohne eigenes Erbbegräbnis,
beigesetzt.
Am 16. 12. 1827 endgültige Beisetzung der (angebli-
chen) sterblichen Überreste in der Fürstengruft auf
dem Neuen Friedhof in Weimar.

Entstehungs- und Textgeschichte

»Maria Stuart geendigt«, notierte Friedrich Schiller am
9.6.1800. Schon vor Abschluss seines Trauerspiels *Maria Stuart* hatte Schiller am 17.4.1800 dem Berliner Verleger Johann
Friedrich Unger für dessen »Calender« ein neues »dramatisches
Werk« angeboten, denn da er »jezt mit der vorzüglichsten Neigung in diesem Genre arbeite«, so wünschte er, »dabei zu bleiben« (NA, Bd. 30, Nr. 181, S. 151). Bereits am 1.7. begann
Schiller die Arbeit an der *Jungfrau von Orleans*; zwei Tage später schrieb Goethe in sein Tagebuch: »Abends Schiller über das
Mädchen von Orleans«, und einen Tag später konnte Schiller
seiner Frau Charlotte mitteilen: »der Plan zu meiner neuen Tragödie ist bald fertig« (NA, Bd. 30, Nr. 207, S. 169). Die Konzeption seines Dramas nahm Schiller völlig in Anspruch; außer mit
Goethe sprach er jedoch zunächst mit niemandem darüber, welchen Stoff er bearbeitete. Auch gegenüber dem befreundeten
Gottfried Körner beließ er es am 13.7.1800 lediglich bei An-
deutungen:

> »Da ich übrigens selbst, von alten Zeiten her, an solchen Stof-
> fen hänge, die das Herz interessieren, so werde ich wenigstens
> suchen, das eine nicht ohne das andere zu leisten, obgleich es
> der wahren Tragödie vielleicht gemäßer wäre, wenn man die
> Gelegenheit vermiede, eine Stoffartige Wirkung zu thun.«
> (NA, Bd. 30, Nr. 210, S. 173)

Am 28.7.1800 schrieb Schiller an Körner über den Stoff:

> »Ich will Dir aus meinem neuen Plan kein Geheimniß ma-
> chen; doch bitte ich, gegen niemand etwas davon zu erwäh-
> nen, weil mir das öffentliche Sprechen von Arbeiten, die noch
> nicht fertig sind, die Neigung dazu benimmt. Das Mädchen
> von Orleans ist der Stoff, den ich bearbeite; der Plan ist bald
> fertig, ich hoffe binnen 14 Tagen an die Ausführung gehen zu
> können.« (NA, Bd. 30, Nr. 218, S. 181)

Schiller griff mit der Geschichte der Johanna von Orleans einen
Stoff auf, der im gebildeten Weimar durch das frivol-satirische
Versepos *La Pucelle d'Orléans* (1755) des französischen Auf-
klärers Voltaire (1694–1778) allseits so bekannt war, dass Herzog Karl August sogar negative Auswirkungen auf die Rezep-

Voltaires
Versepos

tion von Schillers Drama befürchtete. Voltaires Epos war für Schiller einerseits wohl der Ausgangspunkt für sein Dramenprojekt sowie eine wichtige literarische Quelle, andererseits jedoch eine »Kontrastfolie« (Zymner 2002, S. 117). Auch wenn sich Schiller mit seiner *Jungfrau von Orleans* von Voltaire distanzierte, folgte er doch in vielen Details dem Epos und führte »einen subtilen Dialog mit Voltaires Werk« (Sauder 1992, S. 351; vgl. dazu auch S. 194). Zudem lehnte sich Schiller an Shakespeares Drama *Heinrich VI.* an, besonders in den Szenen I,10 (Johannes erstes Erscheinen vor dem König), II,10 (Versöhnung mit dem Burgunderherzog) sowie IV,11 (Verfluchung der Tochter durch den eigenen Vater).

Shakespeares Drama

In den Jahren 1792 bis 1795 hatte Schiller die *Sammlung merkwürdiger Rechtsfälle* des Pitaval (1673–1743) neu herausgegeben. Im vierten Band, zu dem er die Vorrede schrieb, fand er die Geschichte Jeanne d'Arcs, die durch den Einfluss von Voltaires Epos als ›niedriger‹ Stoff galt. Hier konnte sich Schiller auch über die juristischen Hintergründe des gegen Jeanne d'Arc geführten Prozesses informieren. Mit Beginn der Konzeption seines Dramas hatte er auch das intensive Studium historischer Quellen aufgenommen. Um sich über die historischen Umstände, Hintergründe und Fakten zu informieren, bewältigte er ein umfangreiches Lesepensum. Schiller studierte Standardwerke zur Weltgeschichte, zur Geschichte Englands und Frankreichs und konsultierte Spezialliteratur zum historischen Vorbild seiner Heldin. So zog er die 1790 edierten Verhörprotokolle und Akten des gegen Jeanne d'Arc geführten Prozesses heran. Nach Jahrhunderten der Legendenbildung markiert das Theaterstück den Beginn einer historischen Betrachtungsweise der Vorgänge um Jeanne d'Arc (siehe zu Schillers Quellen Luserke-Jaqui [Hg.]: Schiller-Handbuch 2005, S. 170–172; FA, Bd. 5, S. 616 f.).

Pitavals Rechtsfälle

Historische Quellen

Schiller weicht in seinem Drama jedoch immer wieder von den tatsächlichen geschichtlichen Ereignissen und Fakten ab, erfindet Figuren – wie Lionel – oder verändert ihre historische Bedeutung. So wird Johanna von Orléans, die nie einen Menschen getötet hat, bei Schiller »zur Kriegerin, in deren Gestaltung sehr viele alttestamentarische und heidnische Elemente einfließen,

Abweichungen von den historischen Fakten

die Gewalt und auch Unheimliches evozieren« (Albert 1988, S. 18). Statt auf dem Scheiterhaufen stirbt Johanna bei Schiller auf dem Schlachtfeld. Viele Veränderungen Schillers haben dramaturgische Gründe, sei es um die sich über viele Jahre hinziehenden Ereignisse zu konzentrieren und stärker auf Johanna zu beziehen, sei es – wie bei der Darstellung der Engländer –, um die Freund-Feind-Konstellation zu verstärken. So stand Isabeau (ca. 1371–1435) beispielsweise weder an der Spitze des englischen Heeres noch war sie die »Buhle des Burgunderherzogs«. Ihre historische Bedeutung wird bei Schiller aufgewertet, um ihr im Dreieck der Frauen zwischen Agnes Sorel und Johanna einen gleichrangigen Platz einzuräumen.

Vorrang vor den geschichtlichen Fakten hatten für Schiller Bemühungen um »poetische Motive«; an Goethe schreibt er am 24. 12. 1800: »Das historische ist überwunden, und doch soviel ich urtheilen kann, in seinem möglichsten Umfang benutzt, die Motive sind alle poetisch und größtentheils von der naiven Gattung.« (NA, Bd. 30, Nr. 261, S. 224) Schiller beabsichtigte, wie er am 13. 9. 1801 Goethe mitteilt, »bei der Armuth an Anschauungen und Erfahrungen nach Außen, die ich habe«, den Stoff »sinnlich zu beleben« (NA, Bd. 30, Nr. 236, S. 196). Bereits am 26. 7. 1800 hatte er Goethe einige formale Überlegungen zur Gestaltung seines Dramas mitgeteilt:

> »Was mich bey meinem neuen Stücke besonders incommodiert ist, daß es sich nicht so wie ich wünsche in wenige große Massen ordnen will und daß ich es, in Absicht auf Zeit und Ort in zu viele Theile zerstückeln muß, welches, wenn auch die Handlung selbst die gehörige Stätigkeit hat, immer der Tragödie widerstrebend ist. Man muß, wie ich bei diesem Stück sehe, sich durch keinen allgemeinen Begriff feßeln, sondern es wagen, bei einem neuen Stoff die Form neu zu erfinden, und sich den Gattungsbegriff immer beweglich erhalten.« (NA, Bd. 30, Nr. 214, S. 175 f.)

Zwei Tage später legte er auch Körner dar, dass an eine strenge Dramenform nicht mehr zu denken sei:

Abweichung von der strengen Dramenform

> »Poetisch ist der Stoff in vorzüglichem Grade, so nämlich wie ich mir ihn ausgedacht habe, und in hohem Grade rührend. Mir ist aber angst vor der Ausführung, eben weil ich sehr viel

darauf halte, und in Furcht bin, meine eigenen Ideen nicht erreichen zu können. In 6 Wochen muß ich wissen, wie ich mit der Sache daran bin. [...]

Das Mädchen von Orleans läßt sich in keinen so engen Schnürleib einzwängen, als die Maria Stuart. Es wird zwar an Umfang der Bogen kleiner sein, als dieses letztere Stück; aber die dramatische Handlung hat einen größern Umfang, und bewegt sich mit größerer Kühnheit und Freiheit. Jeder Stoff will seine eigene Form, und die Kunst besteht darin, die ihm anpassende zu finden. Die Idee eines Trauerspiels muß immer beweglich und werdend sein, und nur virtualiter in hundert und tausend möglichen Formen sich darstellen.« (NA, Bd. 30, Nr. 218, S. 181)

In formaler Hinsicht durchbricht Schiller in der *Jungfrau von Orleans* die Geschlossenheit der Handlung, und auch metrisch weicht er häufig vom klassischen Dramenvers – dem Blankvers – ab, verwendet in den Szenen mit Montgomery (2. Aufzug, 6. und 7. Auftritt) das Versmaß des antiken Trimeters oder in Johannas Monologen Stanzen, eine Strophenform mit acht jambischen Elfsilblern (z. B. V. 393–432).

Abweichung vom klassischen Dramenvers

Als »Eine romantische Tragödie« charakterisierte Schiller schließlich sein Drama *Die Jungfrau von Orleans*. Opernhafte Züge hat diese neue Form, mit der Schiller in eine neue dramenpoetische Phase eintritt, »in der er sich souverän der formalen und inhaltlichen ›Eigenmöglichkeiten‹ der Kunst bedient und gleichermaßen die Zwänge der dramaturgischen Regeln ebenso wie die Ausrichtung auf die naturalistische Nachahmung hinter sich läßt« (Zymner 2002, S. 114). *Die Jungfrau von Orleans* »erscheint nun als dasjenige unter Schillers bisherigen Stücken, in dem sich der Aufstand gegen die ›servile Naturnachahmung‹ am deutlichsten Gehör verschafft: Es ist eine ›Tragödie‹, für die das Wunderbare ebenso konstitutiv ist wie die variantenreiche Verssprache, die den Anspruch der schönen Poesie und nicht denjenigen eines mimetischen Naturalismus signalisiert; die erkennbare intertextuelle Modellierung des Stoffes, seine – in den Regieanweisungen markierte – theatralische Orchestrierung sowie eine Handlungsführung, die von einer märchenhaft arkadischen Hirtenidylle zur Apotheose

Genrebezeichnung

der Titelheldin vor dem himmlischen Elysium führen, zeigen
ebenso deutlich, daß es Schiller hier zunächst und vor allem
um die Kunst als Kunst gegangen ist.« (Ebd., S. 115)
Keine drei Monate hatte Schiller für das Quellenstudium und den
Entwurf benötigt, und am 5. 9. 1800 begann er mit der Ausarbeitung des Dramas; er »habe nun förmlich beim Anfang angefangen«, schrieb er an Goethe (NA 30, Nr. 235, S. 194). In den
folgenden Wochen und Monaten kam Schiller mit der Ausarbeitung des Dramas gut voran. Nach einer Lesung der ersten drei
Akte im Hause Goethes am 11. 2. 1801 zog er sich vom 5. 3. an
nach Jena zurück, »um dort in der Stille meines Gartenhauses
meine Tragödie zu vollenden« (NA, Bd. 31, Nr. 13, S. 10). Am
3. 4. war er wieder in Weimar und teilte Goethe Mitte desselben
Monats die Vollendung der *Jungfrau von Orleans* mit: »Ich werde heute mit meinem Stücke fertig.« (NA, Bd. 31, Nr. 33, S. 28)
Schon während der Ausarbeitung der *Jungfrau* hatte Schiller
Überlegungen zur Publikation seines Dramas angestellt und hatte am 6. und 28. 11. 1800 dem Verleger Johann Friedrich Unger
hinsichtlich seines Honorars sowie der zu verwendenden
Drucktypen, der Ausstattung und des Titelbilds ein detailliertes
Angebot vorgelegt (siehe NA, Bd. 30, Nr. 246, S. 207 f. und
Nr. 252, S. 217 f.). Aus diesem Angebot ging bereits hervor,
daß Schiller den Zweitdruck der *Jungfrau von Orleans* nach
drei Jahren für eine geplante Ausgabe seiner Theaterstücke in
der J. G. Cottaschen Buchhandlung in Tübingen plante. Er be-
stand deshalb »meiner ältern Verhältniße mit Cotta wegen«
darauf, »daß die Tragödie nur in CalenderFormat gedruckt

Erstdruck
bei Unger

wird« (NA, Bd. 30, Nr. 246, S. 208). Am 12. 10. 1801 erschien
das Stück schließlich mit dem von Schiller gewünschten Miner-
va-Kopf als Titelkupfer unter dem Titel: *Kalender / auf das Jahr
1802. / Die / Jungfrau von Orleans. / Eine romantische Tragödie
/ von / Schiller. / Berlin. / Bei Johann Friedrich Unger.*
Für die geplante Ausgabe seiner Theaterstücke bei Cotta hatte
Schiller den Erstdruck der *Jungfrau* bei Unger in Berlin einer
zunehmend flüchtiger werdenden redaktionellen Überarbeitung
unterzogen und diese handschriftlich in ein Exemplar der Erst-

Änderungen
im zweiten
Druck

ausgabe eingetragen. Für den zweiten Druck in der Gesamtaus-
gabe unterteilte er die Aufzüge nun in Auftritte; im Personen-

verzeichnis nahm er Streichungen bei Nebenfiguren vor und
tilgte die Orts- und Zeitangaben. Die Änderungen des Wortlauts
sind gering, häufiger dagegen sind Abweichungen in der Inter-
punktion. Kurz nach Schillers Tod am 9. 5. 1805 erschien der
erste Band der Theaterstücke bei Cotta – als Titelkupfer hatte
Schiller ein Bildnis der Jungfrau ausgewählt, das der befreunde-
te Ferdinand Jagemann in Paris von einem Gemälde aus dem
16. Jahrhundert kopiert hatte; der Titel lautet: *Theater / von /
Schiller. / Erster Band. / Mit dem Porträt der Johanna d'Arc. /
Tübingen / in der J. G. Cottaschen Buchhandlung / 1805*. Auch
als Einzelausgabe erschien die *Jungfrau von Orleans* im gleichen
Jahr bei Cotta.

Die Uraufführung der *Jungfrau von Orleans* fand am Uraufführung
11. 9. 1801 – einen Monat bevor die Buchausgabe erschien –
im Theater am Rannstädter Tor in Leipzig unter der Leitung
von Christian Wilhelm Opitz (1756–1810) statt, dem Direktor
der kürfürstlich sächsischen Hofschauspielergesellschaft in
Dresden und Leipzig. Herzog Karl August hatte sich zunächst
gegen eine Aufführung in Weimar ausgesprochen, weil er befürchtete, Schiller habe in Anlehnung an Voltaires *La Pucelle
d'Orléans* ein anstößiges Werk geschrieben. Die Leipziger In-
szenierung wurde zu einem grandiosen Erfolg. Schiller wohnte
zusammen mit Körner der dritten Aufführung am 17. 9. bei.
Stehend applaudierte das Publikum:

> »Als er in der Loge, so wäre Er gleich mit Pauken und Trom-
> peten empfangen worden, und nach dem ersten Act rief Alles
> zusammen: ›*es lebe Friedrich Schiller!*‹ und er mußte hervor-
> treten und sich bedanken. Als er aus der Comödie ging, nah-
> men Alle die Hüte vor ihm ab und riefen ›*Vivat, es lebe Schil-
> ler, der große Mann!*‹« (FA, Bd. 5, S. 649)

Weitere Aufführungen folgten noch 1801 in Berlin, Stralsund,
Hamburg, Wien und Schwerin. Erst am 23. 4. 1803 fand die
erfolgreiche Premiere der *Jungfrau von Orleans* am Weimarer
Hoftheater statt. Schiller selbst hatte hier die Proben geleitet
und die Besetzung vorgenommen. Auch in Weimar wurde das
Stück mit großem Beifall aufgenommen und Schiller am Ende
»ein Vivat gebracht«. Schiller selbst notierte: »Alles ist davon
electrisiert worden.« (NA, Bd. 32, Nr. 44, S. 36)

Der geschichtliche Hintergrund

Wie in den zuvor erschienenen klassischen Dramen, der *Wallenstein*-Trilogie (1798/99) und *Maria Stuart* (1800), verarbeitete Schiller auch in *Die Jungfrau von Orleans* (1801) einen historischen Stoff. Der *Jungfrau von Orleans* liegt die Geschichte des Bauernmädchens Jeanne d'Arc (1412–1431) zugrunde, die während des »Hundertjährigen Krieges« zwischen England und Frankreich die französischen Truppen anführte.

»Der Hundertjährige Krieg«

Von 1339 bis 1453 dauerte der »Hundertjährige Krieg«, die langwierige Auseinandersetzung zwischen England und Frankreich um die Vorherrschaft in Mitteleuropa. Ursache des Krieges, der ausschließlich auf französischem Boden ausgetragen wurde, war das Aussterben des Herrscherhauses der Kapetinger in direkter Linie (Tod Karls IV. im Jahr 1328). Die französische Krone gelangte an das Haus Valois, eine Nebenlinie der Kapetinger. Philipp VI. (1293–1350), Herzog von Burgund, übernahm im Jahr 1328 die Königswürde, die jedoch vom englischen König Eduard III. (1312–1377) angefochten wurde. Als Sohn Isabellas (1292–1358), einer Schwester des verstorbenen Königs von Frankreichs, und des englischen Königs Eduard II. (1284–1327) betrachtete er sich als legitimen Nachkommen der Kapetinger und erklärte sich im Jahr 1340 zum König von Frankreich. Da seine Ansprüche auf den Thron jedoch über die weibliche Linie vermittelt waren, wurden sie in Frankreich bestritten. Nach dem Sieg von Crécy im Jahr 1346 konnte Eduard III. Calais erobern. Die strategisch wichtige Stadt blieb England bis weit ins 16. Jahrhundert hinein als Vorposten auf dem Kontinent erhalten. Im Frieden von Brétigny im Jahr 1360 musste Frankreich den gesamten Südwesten, Calais sowie die Grafschaft Ponthieu in Nordfrankreich an England abtreten; Eduard III. verzichtete dafür auf den französischen Thron. 1369 brachen die Kämpfe in Frankreich erneut aus; in den Folgejahren führten sie für England zum Verlust der Gebiete, die im Friedensschluss von 1360 gewonnen worden waren.

Sieg von Azincourt

Mit dem Sieg von Azincourt am 25.10.1415 setzte der englische König Heinrich V. (1387–1422) den »Hundertjährigen Krieg« fort; ihm gelang es in einem der blutigsten Gemetzel

Abb. 1: Frankreich zur Zeit Jeanne d'Arcs

des Mittelalters, die gesamte Normandie zu erobern und 10 000 Franzosen zu töten. 1392 war der französische König Karl VI. (1368–1422) wahnsinnig geworden und wurde daraufhin entmündigt. Gemeinsam mit dessen Ehefrau Isabeau von Bayern (1371–1435) gründete Johann von Burgund (1371–1419) eine Gegenregierung zu der besiegten französischen in Troyes und

akzeptierte in einem Geheimvertrag die Thronrechte des englischen Königs. In Nordfrankreich wurde diese Regierung allgemein anerkannt. Nachdem Johann von Burgund 1419 von
Anhängern des Dauphins (des späteren Königs Karl VII.) er-
schlagen worden war, verband sich sein Sohn Philipp der Gute
(1396–1467) mit England. Der englische König Heinrich V., der
seit 1420 mit Katharina von Valois (1400–1438), der Tochter
Karls VI. von Frankreich, verheiratet war, erhielt im Vertrag von
Troyes die Regentschaft und die Anwartschaft auf den französischen Thron. Nach dem Tod des englischen und des französischen Königs im Jahr 1422 wurde der erst neun Monate alte
Sohn Heinrichs V., Heinrich VI. (1421–1471), von den Enlän-
dern zum französischen König ausgerufen und unter die Vor-
mundschaft seiner Onkel John von Bedford (1389–1435) und
Humphrey von Gloucester (1390–1447) gestellt. Gleichzeitig
erklärte sich der Dauphin (der spätere Karl VII.) zum französischen König. Er verlor immer mehr Gebiete an England; 1428
hatten die Engländer den gesamten nördlichen Teil des Landes
bis zur Loire besetzt. Orléans war die letzte dem Dauphin erge-
bene Stadt. Mit der Belagerung von Orléans im Oktober 1428
schien das Königsamt für ihn verloren, zumal er nur von einem
Teil der französischen Fürsten anerkannt und noch nicht zum
König gesalbt war.

Den Wendepunkt in den Kampfhandlungen brachte 1429 das
17-jährige Bauernmädchen Jeanne d'Arc aus dem Dorf Domré-
my-la-Pucelle in Lothringen. Sie hatte behauptet, dass sie Stimmen gehört habe und Heilige ihr erschienen seien, die sie beauftragt hätten, zum Dauphin zu gehen, gegen die Engländer in den
Krieg zu ziehen, deren Belagerung von Orléans aufzuheben und
den Dauphin zur Salbung und Krönung nach Reims zu führen.
Nach einigen Prüfungen akzeptierte sie der Dauphin als eine
von Gott gesandte Botin. In Männerkleidung und mit Banner
und Schwert zog Jeanne mit dem französischen Heer in die
Schlacht. Innerhalb kurzer Zeit gelang die Befreiung des von
den Engländern eingeschlossenen Orléans; kurz darauf folgte
der Sieg von Patay.

Nach der Eroberung des gesamten Gebiets um Orléans wurde
Karl VII. im Juli 1429 in Reims zum französischen König gesalbt

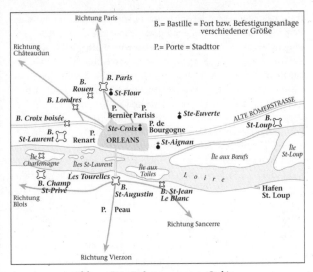

Abb. 2: Die Belagerung von Orléans

und gekrönt. Mit ihrem Banner stand Jeanne d'Arc neben dem Altar. Nun drängte sie den König, gegen das von den Engländern gehaltene Paris zu marschieren. Doch Karl VII. wollte den Kampf nicht fortsetzen und suchte stattdessen Verhandlungen mit den Burgundern. Jeanne d'Arc versuchte, den zögernden König zu einer Fortsetzung des Krieges zu bewegen. 1430 geriet sie bei Kampfhandlungen in die Gefangenschaft der Burgunder, die mit den Engländern verbündet waren und sie diesen auslieferten. Der französische Hof unternahm nichts, um sie zu befreien. In Rouen wurde sie von einem kirchlichen Gericht als Zauberin und Ketzerin angeklagt. Die Verhandlung hatte Züge eines politischen und religiösen Schauprozesses. Jeanne verteidigte sich standhaft gegen die Vorwürfe der Hexerei und Ketzerei, doch am 30. 5. 1431 wurde sie auf dem Alten Marktplatz von Rouen bei lebendigem Leibe verbrannt. Auf dem Brandpfahl stand zu lesen: »Johanna, die sich selbst die Jungfrau nannte, eine Lügnerin, bösartige Betrügerin des Volkes, Zauberin, Abergläubige, Lästerin Gottes, Entehrerin des Glaubens an

Prozess gegen Jeanne d'Arc

Jesus Christus – prahlerisch, götzendienerisch, grausam, lieder-lich, Beschwörerin von Dämonen, Apostatin, Schismatikerin und Ketzerin.« Erst im Jahre 1450 erwirkte Karl VII. eine Revision des Urteils. 1456 wurde diese im erzbischöflichen Palais zu Rouen verkündet. 1920 wurde Jeanne d'Arc schließlich zur Märtyrerin erklärt, von Papst Benedikt XV. (1854–1922) heilig-gesprochen und zur Patronin Frankreichs ernannt.

Zeittafel der historischen Ereignisse

1339 König Eduard III. von England (1312–1377) beansprucht den französischen Thron, den das Haus Valois innehat. Der ›Hundertjährige Krieg‹ beginnt.

1346 Entscheidender Sieg der Engländer über die Franzosen bei Abbéville (Crécy).

1356 Sieg der Engländer über den französischen König Johann den Guten (1319–1364) bei Maupertuis.

1360 Friede von Bretigny: Die Valois treten Calais und Südwestfrankreich an England ab; Eduard III. verzichtet auf den französischen Thron.

1380 Karl VI. (1368–1422) wird König von Frankreich.

1392 Karl VI. von Frankreich wird wahnsinnig. Machtstreit zwischen den Herzögen von Orléans und Burgund. Die Kämpfe zwischen Adel und Bürgertum, die damit verbunden sind, erleichtern den Engländern ein erneutes Vordringen in Frankreich.

um 1412 Jeanne d'Arc (»Jeannette«) wird als Tochter von Isabelle Romée und Jacques d'Arc im lothringischen Domrémy an der Maas geboren.

1413 Heinrich V. (1387–1422) König von England.

1415 Heinrich V. setzt den ›Hundertjährigen Krieg‹ fort.
August: Eine englische Flotte landet mit Truppen im Gebiet der Seine-Mündung.
25. 10.: Niederlage der Franzosen bei Azincourt.

1416 Oktober: Bündnis zwischen England und Burgund.

1418 Ende Mai: Truppen des Herzogs von Burgund erobern Paris.

1419 10. 9.: Johann Ohnefurcht (Jean Sans Peur) (1371–1419), der Herzog von Burgund, wird von Begleitern des Dauphins (später Karl VII.) auf einer Brücke in Montereau ermordet.
Philipp der Gute (1396–1467) wird Herzog von Burgund.

1420 21. 5.: Vertrag von Troyes zwischen England (Heinrich V.) und Burgund (Karl VI.): Anerkennung des Thronanspruchs von Heinrich V. durch die Heirat mit Katharina von Valois (1401–1438), der Tochter Karls VI. Karl VII. (1403–1461) wird dadurch ausgeschaltet, bildet aber eine Gegenregierung südlich der Loire; Beginn der »Doppelmonarchie«.

1422 Karl VI. stirbt. Karl VII. wird König von Frankreich, ohne jedoch gekrönt zu sein.

1423 Englisch-burgundischer »Vertrag von Amiens«.

um 1425 Jeanne d'Arc hört zum ersten Mal die Stimmen der Heiligen Michael, Katharina und Margarete.

1428 Mai–Juni: Englische Einfälle in Lothringen, Vaucouleurs wird bedroht, die Einwohner von Domrémy flüchten nach Neufchâteau.

Mitte Mai: Jeanne d'Arc kehrt von ihrem ersten (erfolglosen) Besuch bei Hauptmann Robert de Baudricourt aus Vaucouleurs zurück.

Juli: Der burgundische Gouverneur Antoine de Vergy (1375–1439) legt Feuer in Domrémy.

12.10.: Eine englische und burgundische Armee unter Thomas Montagu Earl of Salisbury (1388–1428) beginnt Orléans zu belagern.

Anfang Dezember: Jeanne d'Arc zum zweiten Mal in Vaucouleurs.

1429 12.2.: »Heringstag« – die Engländer verhindern einen Lebensmitteltransport in das von ihnen belagerte Orléans.

um den 13.2.: Jeanne d'Arc verlässt Vaucouleurs mit Eskorte, um nach Chinon zu reiten.

24.2.: Ankunft in Chinon.

6.3.: Unterredung mit Karl VII.

ab 11.3.: Untersuchungen von Poitiers.

22.3.: Jeanne d'Arcs »Brief an die Engländer«.

29.4.: Jeanne d'Arc zieht in Orléans ein.

6.5.: Jeanne d'Arc setzt mit 4 000 Mann auf das linke Loire-Ufer, um die Bastille St-Jean-le-Blanc anzugreifen. Die Engländer haben sich zurückgezogen. Jeanne d'Arc verfolgt sie und erobert das von ihnen besetzte Augustinerkloster.

7.5.: Jeanne d'Arc erobert die Bastille Les Tourelles,

obwohl sie durch einen Pfeilschuss an der Schulter verwundet worden ist.

8. 5.: Die Engländer geben die Belagerung von Orléans auf.

11./12. 6.: Jeanne d'Arc erobert Jargeau und nimmt den Herzog von Suffolk (1396–1450) gefangen.

15. 6.: Jeanne d'Arc erobert die Brücke von Meung.

17. 6.: Jeanne d'Arc erobert Beaugency.

18. 6.: Jeanne d'Arc besiegt Sir John Fastolf (1378–1459) bei Patay und nimmt John Talbot Earl of Shrewsbury (1384–1453) gefangen.

19. 6.: Karl VII. bricht mit 12 000 Mann von Gien nach Reims auf.

10. 7.: Jeanne d'Arc und der König reiten in Troyes ein.

14. 7.: Eroberung von Châlons-sur-Marne.

16. 7.: Eroberung von Reims.

17. 7.: Krönung Karls VII. in Reims.

1. 8.–26. 8.: Der Weg nach Paris.

8. 9.: Ein Angriff Jeanne d'Arcs und des Königsheeres auf Paris scheitert.

ab Ende September: Vorbereitung des Angriffs auf La Charité sur Loire.

4. 11.: Unterwerfung von Saint Pierre Le Moûtier.

Dezember: Misserfolg Jeanne d'Arcs vor La Charité sur Loire.

24. 12.: Karl VII. verleiht Jeanne d'Arcs Familie den erblichen Adel.

1430 Mitte Januar: Jeanne d'Arc in Orléans, von Bourges kommend.

März: Jeanne d'Arc in Sully sur Loire und Lagny.

22. 4.–12. 5.: Kleinere Kämpfe um Melun, Crépy en Valois und Soissons.

14. 5.: Jeanne d'Arc trifft in Compiègne ein.

23. 5.: Jeanne d'Arc gerät bei Compiègne in burgundische Gefangenschaft.

26. 5.–10. 7.: Aufenthalt in der Burg von Beaulieu bei der Stadt Nangis.

11. 7.–Anfang November: Unterbringung im Schloss von Beaurevoir; Fluchtversuch.

November: Jeanne d'Arc wird gegen eine Zahlung von 10 000 Franken an die Engländer ausgeliefert.

Dezember: Jeanne d'Arc wird im Schlossturm zu Rouen eingekerkert.

1431 9. 1.: Beginn des Inquisitionsprozesses.

21. 2.: Beginn des Verhörs.

22. 2.–3. 3.: Öffentliche Sitzungen.

10. 3.–17. 3.: Prozessverhandlungen werden im Gefängnis abgehalten.

27. 3.: Beginn des Prozesses.

30. 5.: Jeanne d'Arc wird zum Tode verurteilt und auf dem Scheiterhaufen auf dem Altmarkt vor der Kathedrale von zu Rouen als Hexe lebendig verbrannt.

17. 12.: Krönung Heinrichs VI. von England in Paris.

1435 Friedensschluss zwischen Karl VII. und Philipp dem Guten von Burgund.

1437 Karl VII. gewinnt Paris zurück.

1442 Agnès Sorel (1422–1450) wird die Geliebte Karls VII., den sie stark beeinflusst.

1450 Karl VII. bemüht sich um die Einleitung eines Rehabilitationsprozesses für Jeanne d'Arc.

1453 Der englische Feldherr Talbot fällt in der Schlacht bei Castillon. Ende des ›Hundertjährigen Krieges‹.

1456 7. 7.: Eine von Papst Kalixt III. (1378–1458) eingesetzte Kommission widerruft in Rouen das Urteil gegen Jeanne d'Arc.

1894 Seligsprechung Jeanne d'Arcs durch Papst Leo XIII. (1810–1903).

1920 Heiligsprechung Jeanne d'Arcs durch Papst Benedikt XV. (1854–1922).

Wirkungsgeschichte und Nachleben

Nicht nur das Theaterpublikum hatte Schillers *Johanna von Orleans* enthusiastisch aufgenommen, nachdem das Stück erstmals auf den Bühnen in Berlin, Hamburg, Wien und anderen Städten gezeigt worden war (vgl. hierzu auch S. 179), auch die Rezensenten und Kritiker äußerten sich lobend. Die Besprechungen in Journalen, Zeitungen und Briefen waren voller Wertschätzung und Anerkennung. Christoph Martin Wieland sprach von einer »zauberischen Wirkung auf alle Zuhörer«, die von Schillers Stück ausgehe. Bei den Romantikern stieß das Drama allerdings auf Ablehnung. Man monierte den theatralisch-pathetischen Stil und die Abweichungen von den Quellen. Eine historische Heiligenlegende mit Fiktionen zu etwas Neuem zusammenzusetzen, empfand man als unangemessen; der ursprüngliche Stoff habe vielmehr für sich zu stehen und zu sprechen.

Im 20. Jahrhundert erschienen drei bedeutende Theaterstücke, die mehr oder weniger von Schillers »romantischer Tragödie« über die heilige Johanna inspiriert sind, *Saint Joan* (1923) von George Bernard Shaw (1856–1950), *Die heilige Johanna der Schlachthöfe* (1929/30) von Bertolt Brecht (1898–1956) und *L'Alouette* (dt. *Jeanne oder Die Lerche*, 1953) von Jean Anouilh (1910–1987).

Shaws »chronicle play« *Saint Joan* (deutsch: *Die heilige Johanna*) wurde sein größter Bühnenerfolg. Das Stück entstand 1923, drei Jahre nach Johannas Heiligsprechung durch Papst Benedikt XV., und kam im selben Jahr in New York zur Uraufführung. Shaw schrieb ein tragisches Geschichtsdrama mit lockerer Szenenfolge und engem Bezug auf die historischen Fakten und Quellen. Er studierte die Dokumente des Prozesses und übernahm für sein Stück auch Originalzitate aus den Quellen. Die Heldin und ihre Geschichte werden hier nicht mythisiert, das Heroische in Joan liegt vielmehr in ihrer schlichten Klugheit, ihrer Eloquenz und ihrem Mut. Als Figur des Fortschritts, der Vernunft und Humanität stellt sie sich gegen die feudalistischen Herrschaftsverhältnisse. Der englische Oberbefehlshaber Warwick und der Bischof von Beauvais sehen in Joan ihre Feindin,

G. B. Shaws
Saint Joan

weil sie erfolgreich für die Rechte des Einzelnen und der Nation streitet und sich dem dogmatischen Machtanspruch von Staat und Kirche entzieht. Gegen deren übermächtiges Bündnis vermag sie allerdings nichts auszurichten. So wird nach der Krönung in Reims durch Joans ehemalige Bundesgenossen ein Friedenskompromiss herbeigeführt, der ihre ursprünglichen Motivationen und Ziele, die Feinde ganz aus dem Vaterland zu vertreiben, ignoriert. Joan wird verraten, die Burgunder nehmen sie gefangen und verkaufen sie an die Engländer, die ihr den Prozess machen und sie verurteilen.

Doch Joans Hinrichtung gerät nicht zum Triumph der alten Machtordnung. Deutlich wird vielmehr, dass deren Zeit abgelaufen ist. Joans Rede auf dem Scheiterhaufen drückt die Gewissheit aus, dass die Freiheit aller Menschen auf Dauer nicht unterdrückt werden kann. Der Fortschritt im Denken und damit auch der politische Fortschritt sind nicht aufzuhalten. Joan wird zwar getötet, nicht aber das, wofür sie stand: Humanität, Gerechtigkeit, Vernunft, das Recht des Individuums, der Einsatz für Ideale. Der Epilog zeigt, wie Joan 25 Jahre nach ihrem Tod, unmittelbar nach ihrem Rehabilitierungsprozess, König Karl im Traum erscheint. Auch ihre alten Widersacher finden sich in Karls Schlafzimmer ein. Sie werden nicht angeklagt, die Schuld für das tragische Geschehen sucht Shaws Stück vielmehr in den Zeitverhältnissen. In solchen Zeiten will Joan keine Heilige sein, so lange, bis die Welt bereit ist, ihre Heiligen zu empfangen.

B. Brechts
*Heilige
Johanna der
Schlacht-
höfe*
Bertolt Brecht schrieb *Die heilige Johanna der Schlachthöfe* während der Weltwirtschaftskrise 1929/30. Uraufgeführt wurde das Stück erst drei Jahre nach dem Tod des Dichters im April 1959 in Hamburg, weil es von den Nationalsozialisten verboten und von der SED-Führung abgelehnt worden war. Für sein Lehrstück in elf Bildern griff Brecht nicht nur auf Schiller, sondern auch auf andere literarische Quellen zurück. Das Drama spielt in den Schlachthöfen von Chicago während der Massenarbeitslosigkeit nach dem Börsenkrach 1929. Leutnant Johanna Dark, deren Name auf Jeanne d'Arc verweist, versucht mit ihrer Heilsarmeetruppe das Elend der Arbeiter durch mildtätige Reden, Lieder und Suppen zu lindern. Ihr Gegenspieler ist Pierpont Mauler, der Fleischkönig Chicagos. Weil seine Börsenfreunde

ihm dazu geraten haben, verkauft er sein Geschäft an seinen Kompagnon. Das Elend der Arbeitslosen vergrößert sich dadurch und Johanna bittet Mauler um Hilfe. Der gibt den Armen die Schuld für ihre Situation. Johanna zieht mit ihrer Truppe, den »Schwarzen Strohhüten«, in die Viehbörse ein, um gegen die wachsende Not anzukämpfen. Inzwischen hat sich die Situation geändert: Mauler folgt einer neuen Empfehlung seiner Freunde, kauft in großem Stil Fleisch auf und rettet damit kurzfristig den Markt. Doch der Verdrängungswettbewerb geht weiter, und Johanna erkennt, dass das Elend der Arbeiter noch weiter wachsen wird. Sie will nun die Kommunisten unterstützen, verrät diese allerdings, weil sie falschen Informationen glaubt und vor der drohenden Gewalt zurückschreckt. Der begonnene Streik wird zerschlagen, und Johanna trägt die Schuld daran. Endlich hat sie die brutalen Gesetze des Klassenkampfes, der immer auf Kosten der Besitzlosen geht, verstanden. Mauler, dem ewigen Gewinner, kommt Johannas Fehler entgegen; er und die anderen Fleischhändler stilisieren die Sterbende zur Märtyrerin der Armen. Ihr letzter Schrei nach Gewalt geht unter in verlogenem Lobgesang. Am Ende des revolutionären Lehr- und Agitationsstücks steht die Erkenntnis, dass gewaltsamer Widerstand gegen Ausbeutung und Unterdrückung notwendig ist.

Die Verweise und parodistischen Bezüge auf Schillers *Johanna von Orleans* in Brechts Stück sind zahlreich. So sprechen die Fleischhändler in Blankversen und mit hohem Pathos, während die Wahrheit von anderen Figuren in schlichter Prosa vorgetragen wird. Brecht entlarvt Schillers Idealismus aber auch durch die Figur der Johanna Dark, deren Ideale Stück für Stück verlorengehen. Brechts Johanna begreift am Ende, dass die Religion nur dazu da ist, die Armen am Kampf gegen die Unterdrückung zu hindern. In diesem Sinn vollzieht Brecht mit seiner Schlussszene eine Umkehrung von Johannas finaler Apotheose, wie Schiller sie darstellt. In ihrem finalen Monolog heißt es:

> »Darum, wer unten sagt, daß es einen Gott gibt
> Und ist keiner sichtbar
> Und kann sein unsichtbar und hülfe ihnen doch
> Den soll man mit dem Kopf auf das Pflaster schlagen
> Bis er verreckt ist.«

Jean Anouilhs Einakter *L'Alouette*, in der deutschen Übersetzung *Jeanne oder Die Lerche* betitelt, entstand 1953 und wurde
im selben Jahr in Paris uraufgeführt. Das Stück ist Shaw stärker
verpflichtet als Schiller; Anouilh zeigt eine gänzlich unheroische
Jeanne, ein naives Mädchen aus dem Volk, das allen Menschen
freundlich zugewandt ist. Sie praktiziert Friedfertigkeit und
Nächstenliebe, während die Kirche daraus Dogmen macht,
die im Dienst ihrer Machtpolitik stehen. Für Jeanne realisiert
sich der göttliche Wille dagegen in tätiger Mitmenschlichkeit.
Ihre Gegenspieler sind die Vertreter der kirchlichen und staat-
lichen Macht; für den Inquisitor stellt sie durch ihre Haltung
eine Bedrohung dar. Doch Jeanne bleibt sich selbst treu bis in
den Tod.

Anouilh gelingt es, Jeannes Geschichte eng mit der Frage nach
deren Beurteilung zu verbinden, indem er sein einaktiges Stück
als Gerichtsprozess anlegt. In diesem Prozess werden vor den
Richtern die wichtigen Episoden von den Beteiligten aus dem
Stegreif nachgespielt. Die Gerichtsverhandlung endet abrupt,
als Jeanne ihr Geständnis widerruft und aus Angst, korrumpiert
zu werden, freiwillig auf den Scheiterhaufen geht. Doch der
französische Bischof, einer ihrer beiden Richter, mildert die dro-
hende Tragik mit einer witzigen Wendung; er unterbricht die
Vorbereitungen zur Hinrichtung und fordert – nach den Gesetzen des Theaters im Theater –, dass Jeanne zuerst die Krönung
spielen solle. Am Ende von Jeannes Geschichte steht für Anouilh
nicht ihre Verbrennung in Rouen, sondern ein heiteres Fest.

Deutungsaspekte

Die neueren literaturwissenschaftlichen Analysen zur *Jungfrau von Orleans* ergeben in der Zusammenschau ein disparates Bild. Anders als bei den übrigen Dramen Schillers besteht selbst in elementaren Fragen kaum Konsens. Innerhalb der Deutungskontroversen ist eine dominierende Tendenz nicht auszumachen. Das Drama gilt als das rätselhafteste unter Schillers Stücken, als in sich widersprüchlich und dem Verständnis nur schwer zugänglich. Schon die Zeitgenossen waren irritiert durch die christlichen und märchenhaften Motive, die Erscheinungen, Visionen und Prophezeiungen, die sich im Stück mit Elementen der griechischen Mythologie verbinden. Auch der opernhafte, am Schluss geradezu pompös wirkende Stil zog immer wieder scharfe Kritik auf sich. Zum souveränen Spiel mit Motiven und Imaginationen in *Die Jungfrau von Orleans* gehört auch, dass Schiller sich größere Freiheiten im Umgang mit den historischen Fakten erlaubte als sonst. Nicht zuletzt diese Abweichungen von den Quellen gaben den Interpreten Rätsel auf; so veränderte Schiller im Drama Johannas soziale Herkunft und ihre Familienverhältnisse, er erfand das mit ihrer Sendung verbundene Liebesverbot und verlieh ihr, die in der Realität keine Waffen trug und nicht kämpfte, Züge einer Kriegsfurie. Der Friedensvertrag zwischen Burgund und Frankreich, in Wahrheit erst einige Jahre nach Jeanne d'Arcs Tod geschlossen, wird im Stück als Ergebnis von Johannas Wirken dargestellt. Das Ende der historischen Jeanne d'Arc schließlich – den Inquisitionsprozess und die öffentliche Hinrichtung – gestaltete Schiller gänzlich um: Johanna kann im letzten Akt den Feinden entfliehen und erfährt eine Apotheose.

Die Tragik im Stück entsteht, indem der religiöse Auftrag, das Vaterland von den Feinden zu befreien, die Heldin dazu zwingt, die Feinde in unmenschlicher Weise zu bekämpfen und die eigene Liebesfähigkeit zu verleugnen. Das göttliche Gebot fordert von ihr das Opfer der Humanität. Eine Zeitlang vermag Johanna ihrer Mission zu folgen und dieses Opfer zu leisten, indem sie ihre Gegner mitleidlos bekämpft. Doch dann wird sie schuldig: Sie verliebt sich in den Feind und tötet ihn nicht, obwohl er

Marginalien:

Irritation der Zeitgenossen

Abweichungen von den Quellen

Religiöser Auftrag der Heldin

bereits besiegt ist. Sie erliegt plötzlich und unvorbereitet der Versuchung, menschlich zu sein und zu lieben. Diese Peripetie wird durch die Begegnung mit dem rätselhaften schwarzen Ritter, der ihre Gottestreue auf die Probe stellt, vorbereitet. Johanna sei, schreibt Schiller am 3. 4. 1801 an Goethe, aus eigener Kraft »von den Göttern deseriert« (NA, Bd. 31, Nr. 31, S. 27). In ihrem tragischen Konflikt ist ihr Fall vorgezeichnet, aber auch die Voraussetzung für ihre spätere Erhöhung, wenn man das Ende als Überwindung der irdischen Widersprüche und als wahre Erfüllung ihrer Prophetenrolle deuten will. Sie wäre erworben durch die Synthese von göttlichem Auftrag und persönlicher menschlicher Entwicklung.

Programmatische Absicht des Dramas

Unter den etablierten Deutungspositionen gibt es zwei, die von einer präzisen programmatischen Absicht des Dramas ausgehen, das – so die Argumentation – vom Autor die Veränderung der historischen Fakten geradezu erzwinge. Dieses Telos wird auf der einen Seite als literarisch-ästhetisches definiert, auf der anderen Seite als politisches. Einerseits erkennt man in den romantisierenden Elementen im Text einen Widerspruch gegen die Ästhetik der Aufklärung und eine Referenz an die frühromantische Literatur. Schillers Schauspiel wird als Antwort auf Voltaires satirisches Versepos *La Pucelle d'Orléans* (1755) verstanden, das unter den deutschen Gebildeten der Zeit bekannt war. Der französische Aufklärer stellt Jeanne d'Arc als einfältige Bauerndirne dar, deren Jungfräulichkeit bedroht wird – für ihn ein Anlass, die Kirche und ihre heuchlerischen Moralvorstellungen polemisch anzugreifen. Indem Schiller in der *Jungfrau von Orleans* dagegen Herz, Empfindsamkeit und Intuition betont, sehen seine Interpreten eine Kritik an der rationalistischen Aufklärung artikuliert, die er in seinem Gedicht »Das Mädchen von Orleans« ausdrücklich formuliert hatte. In diesem Gedicht, das im Erstdruck des Jahres 1802 »Voltaires Pücelle und die Jungfrau von Orleans« hieß, spielt Schiller das Herz gegen den Witz aus. Dies wird bereits in der ersten Strophe deutlich:

Das Schauspiel als Antwort auf Voltaires satirisches Versepos

> »Das edle Bild der Menschheit zu verhöhnen,
> Im tiefsten Staube wälzte dich der Spott,
> Krieg führt der Witz auf ewig mit dem Schönen,

Er glaubt nicht an den Engel und den Gott,
Dem Herzen will er seine Schätze rauben,
Den Wahn bekriegt er und verletzt den Glauben.« (FA, Bd. 1,
S. 227)

Die zweite Lesart, die von einer gezielten programmatischen Politische Implikation des Stückes ausgeht, deutet Schillers Johanna als Lesart des Volksheldin und Freiheitskämpferin, in deren Schicksal sich Stücks ein historischer Befreiungskampf widerspiegelt – sei es der zurückliegende der Französischen Revolution oder der kommende der Befreiungskriege gegen die napoleonischen Truppen (Thalheim 1974; Braemer 1960). In der marxistisch-materialistischen Deutung repräsentiert die Hauptfigur den proletarischen Aufstand gegen Feudalismus, Absolutismus und Machtwillkür mit dem Ziel politischer Freiheit und Gleichheit. Edith Braemer betont die allgemeine historische Aussage des Dramas:

>»Der patriotische Kampf Johannas im fünfzehnten Jahrhundert wird auf diese Weise bei Schiller zum Vorbild für einen gerechten nationalen Kampf schlechthin, ohne daß deshalb die geschichtliche Realität als Grundlage verlorengeht. So sieht Schiller die französische Sache des fünfzehnten Jahrhunderts im Lichte einer Sache der Menschheit, und diese Verallgemeinerung, die in Schillers Gestaltung immer eine große Rolle spielt, machte es möglich, daß das historische Beispiel für das Deutschland des beginnenden neunzehnten Jahrhunderts zum Vorbild werden konnte; Schillers Zeitgenossen fühlten sich unmittelbar angesprochen.« (Braemer 1960, S. 246)

Diesen programmatischen Lesarten sind drei Deutungsrichtungen unterzuordnen, welche komplexer sind und die gegenwärtige Forschungslage bestimmen. Die erste argumentiert theoretisch mit Schillers philosophisch-ästhetischen Schriften, die zweite reflektiert die Gender-Problematik im Stück, und die dritte nimmt die rätselhafte Identität der Hauptfigur zum Anlass psychologischer Betrachtung.

An Schillers philosophisch-ästhetischen Schriften orientiert sich An Schillers eine Tendenz der Forschung, die davon ausgeht, dass das Drama philoso- *Die Jungfrau von Orleans* eine literarische Umsetzung von phisch-äs- Schillers theoretischen Konzeptionen darstellt. Hier wird nach thetischen Schriften orientierte Deutung einer zentralen philosophischen Problematik gesucht; im Fokus steht dabei Johannas Auftrag und Sendung als Ausdruck von philosophischen und anthropologischen Fragestellungen. Gedanken und Vorstellungen aus Schillers Schrift *Über das Erhabene* (1801) werden ins Christlich-Religiöse gewendet, indem man die Heldin als religiöse Figur und gleichzeitig als Verkörperung des Erhabenen deutet, eines Zustandes, in welchem die moralisch-übersinnlichen Kräfte im Menschen über seine beschränkende Sinnlichkeit triumphieren. Johannas Auftrag, der im Stück nicht als anerkannte Tatsache, sondern nur im Zusammenhang mit ihrem subjektiven Sendungsbewusstsein erscheint, wird hier für ein objektives Faktum genommen und als Begründung von Johannas und Frankreichs Schicksal. Johanna agiert

Religiös-idealistische Deutung

in dieser religiös-idealistischen Deutung als Heilige und göttliches Instrument, ihr entschlossener Wille nach Macht und Sieg sowie ihr brutaler Patriotismus werden demgegenüber vernachlässigt. Sie wird verstanden als Sendbote des christlichen Gottes, als erhabene Heilige, die eine Verklärung erfährt, weil sie ihren Auftrag pflichtgemäß erfüllt und der Versuchung widersteht. Die Historie mündet in eine Legende, das Wunder von Johannas Erhabenheit wird durch das finale Naturschauspiel bezeugt (Storz 1958).

Schillers Traktat *Über naive und sentimentalische Dichtung* (1795/96) dient dagegen einer Argumentation, die sich statt auf das Heilige auf das Menschliche bei Johanna konzentriert. Die Heldin wird hier als Vollendung des Menschlichen zu einem

Anthropologisches Ideal

anthropologischen Ideal aufgefasst. Sie durchlebt einen Entwicklungsprozess, der seinen Ausgang nimmt vom naiven Einssein mit der Natur, einem Zustand, mit dem sie bewusst bricht, indem sie den religiösen und zugleich politischen Auftrag zur Befreiung Frankreichs annimmt, der von ihr den Verzicht auf ihr weibliches Begehren fordert. Sie erfährt und reflektiert innere Konflikte zwischen Sinnlichkeit und Vernunft und solche zwischen sich und der äußeren Welt, um am Ende zu einem utopischen Zustand der Vollendung zu gelangen, in welchem sich alle Kräfte und Sphären zu einer idealen Harmonie verbinden. Johannas Schicksal beschreibt in dieser Deutung die Vervollkommnung des autonomen Selbst (Kaiser 1966).

Der Gender-Aspekt in Schillers »Romantischer Tragödie« ist in den vergangenen Jahren immer stärker ins Zentrum des Interesses gerückt (Stephan 1983). Man wurde darauf aufmerksam, dass der tragische Konflikt im Stück aufs engste mit Johannas weiblichem Rollenkonflikt verbunden ist. Von Anfang an verweigert sich Johanna der traditionellen Ordnung der Geschlechter als Teil der natürlichen, gottgewollten und politischen Ordnung (so bemerkt König Karl, dass Johannas Taten »nicht in dem Laufe der Natur« [V. 999] seien). Da sie ihre Weiblichkeit verleugnen und nicht heiraten will, verstößt sie gegen den Willen ihres Vaters und stellt sich außerhalb des patriarchalen Systems, das für das ausgehende Mittelalter ebenso konstitutiv ist wie für die bürgerliche Gesellschaft am Anfang des 19. Jahrhunderts. Ein unlösbarer Widerspruch liegt darin, dass es ihr gerade von dieser Position aus gelingen kann, die gottgewollte politische Ordnung in Frankreich wiederherzustellen. Dass der christliche Auftrag von ihr die Negierung ihrer weiblichen Identität fordert, wird als zentraler tragischer Konflikt im Stück angesehen. Durch ihr männliches Fühlen und Verhalten verletzt sie nicht nur die natürliche patriarchale Ordnung, sondern auch die göttliche (V. 3150). Wenn sich die Amazone und kampfbegeisterte Soldatin auf die Muttergottes beruft, zeigt sich deutlich der tragische Zwiespalt innerhalb ihrer Figur. Als Instrument der Macht verweigert sie sich deren männlich-autoritären Strukturen und Gesetzen. Da die bestehende Macht- und Geschlechterordnung nicht umgeschrieben werden kann, ist mit dem geleisteten Gelübde der Untergang der Heldin bestimmt.

Im dritten Akt wird eine mögliche Reintegration Johannas durchgespielt: Der König und der Erzbischof fordern von ihr eine Eheschließung, Dünois und Lionel wollen sie selbst heiraten. Johanna entzieht sich diesen Forderungen; in der Zurückweisung ihrer weiblichen Identität ist ihr Untergang vorgezeichnet. Die rätselhafte Begegnung mit dem schwarzen Ritter wird von den gender-orientierten Kritikern als Moment der Versuchung und – weil Johanna sich verliebt – als Verletzung ihres Gelübdes und Gefährdung ihres Sendungsauftrages gedeutet. Dabei könnte der schwarze Ritter sowohl eine reale Figur wie eine übersinnliche Erscheinung himmlischer oder höllischer

Mächte sein, aber auch die Personifikation von Johannas verdrängten Wünschen und Bedürfnissen oder von ihrer Sendung. Diese wird beim Krönungsfest in Reims ein letztes Mal vor Johannas Verklärung bezweifelt: Ihr Vater wirft ihr den Verstoß gegen die göttliche Ordnung vor und beschuldigt sie der Teufelskunst.

Frage nach Johannas Identität

Eine dritte wirkungsvolle Deutungsrichtung setzt bei der im Stück leitmotivisch wiederholten Frage nach Johannas Identität an: »Wer bist du?«, »Wer ist sie?« Dieser Zugang zum Stück versteht sich als Replik auf die theoretisch und ideengeschichtlich argumentierenden Analysen und wendet sich stattdessen der Fülle von poetischen Motiven zu, die als konstitutiv für das Drama und seine Heldin betrachtet werden (Guthke 2005; Sauder 1992). In Johanna verbinden sich männliche und weibliche Rollenmuster, sie erscheint den Feinden als Teufel, ihren Landsleuten wegen ihrer göttlichen Sendung als Engel des Himmels. In ihr verbinden sich tiefe Frömmigkeit und blutrünstiger Chauvinismus, Mitleid und Tötungslust, Keuschheit und weibliches Begehren. Im Text erscheint sie als Hexe, Zauberin, Kriegsfurie und Friedensgöttin, als Prophetin und Seherin, als göttliches Wesen mit höchstem Anspruch und hinfälliger, demütiger Mensch. Ihre Attitüde wechselt von Dynamik zu Erstarrung. Die in ihr widerstreitenden Impulse, ihre Psycho-

Psycho-machie

machie (»der Streit in meiner Brust«, V. 3172) spiegeln die kriegerische Szenerie, die sie umgibt. Zur Vielzahl der motivischen Kontraste in Johannas Charakter tritt der zentrale ungelöste Widerspruch zwischen Sendungsbewusstsein und objektivem Sendungsauftrag. Die Heldin agiert zwar, als sei ihr Auftrag eine Tatsache, doch niemand außer ihr kann ihn autorisieren. Ist ihre Sendung ein Faktum oder nur eine subjektive Glaubenserfahrung? Die innere Widersprüchlichkeit ihrer Aufgabe wird noch unterstrichen durch das wechselvolle Nebeneinander von christlichen und heidnischen Motiven, präfiguriert im Bild der Wegkreuzung zwischen Heiligenbild und Zaubereiche, wo sie ihre göttliche Botschaft entgegennimmt.

Wider-sprüchliche Hauptfigur

Die in sich zutiefst widersprüchliche Hauptfigur ist im Drama einer Entwicklung unterworfen; Johannas Charakter vollzieht einen Prozess der Vermenschlichung. Als sie Lionel ins Gesicht sieht, erstarrt und ihn auffordert, sie zu töten, wird sie sich schlagartig ihrer inneren Konflikte bewusst. Ihr Herz und ihre Neigung werden stärker als die Vorstellung von ihrer Pflicht, ihre Sinnlichkeit besiegt Sittlichkeit, Willen und Vernunft. In der Begegnung mit Lionel verletzt sie sowohl das Tötungsgebot wie das Liebesverbot, die beide Bestandteile ihres Auftrags sind. Dessen Zweifelhaftigkeit wird ihr mit der Warnung des schwarzen Ritters klar; sie erkennt erschüttert die Unmenschlichkeit und Ungeheuerlichkeit des Blutbefehls, dessen Ausführende sie ist, und sie beklagt sich, dazu auserwählt zu sein. Im vierten Akt unterzieht sich die Heldin einer Revision ihres moralischen Gewissens und wird sich reuevoll der eigenen Mitleidsfähigkeit und Menschlichkeit – ihres Herzens – bewusst; ihr Sendungsbewusstsein wird zum Schuldbewusstsein. Im fünften Akt schließlich hat Johanna ihre Schwäche überwunden und bekennt sich erneut zu ihrem Auftrag. Ihre finale Apotheose ist daher ein Ergebnis ihrer erworbenen Menschlichkeit und nicht Ausdruck erhabener Vollkommenheit. Dies wird dadurch unterstrichen, dass nur Johanna glaubt, zu Gott emporgehoben zu werden, während die sie umstehenden Figuren einen Körper sehen, der zu Boden fällt. Erneut und endgültig steht nicht die Objektivität und moralische Richtigkeit ihrer Sendung zur Disposition, die Tragik des Stücks liegt vielmehr im konflikthaften Sendungsbewusstsein der transzendenzgläubigen Heldin und verweist auf die Frage nach der menschlichen Identität in der säkularisierten Moderne. »Nicht die Transzendenz«, schreibt Karl S. Guthke, »und ihr ›Schicksal‹ auf Erden in menschlicher Verkörperung ist sein [Schillers] Thema (obwohl die Forschung es lange so gesehen hat), sondern der transzendenzgläubige Mensch. Dieser jedoch wird in der *Jungfrau von Orleans* gerade in diesem Glauben, wie Maria Stuart, rückfällig; überdies ist er nicht nur gläubig bis zur Nachfolge Christi, sondern zugleich ›dieser Welt‹ in einer Weise verbunden, die nicht *nur* als bewundernswürdig dargestellt ist.« (Guthke 2005, S. 257)

Frage nach der modernen Identität

Literaturhinweise

Handschrift

Eine Handschrift von Friedrich Schillers *Jungfrau von Orleans* ist nicht mehr erhalten. Eine Abschrift des Manuskripts mit handschriftlichen Eintragungen Schillers befand sich im Besitz von Graf Wilhelm Heinrich von Lepel; nach dessen Tod wurde sie versteigert und gilt seither als verschollen. Das so genannte Hamburger Bühnenmanuskript – eine nicht immer zuverlässige Abschrift von fremder Hand, die für die Aufführungspraxis eingerichtet wurde – ist im Besitz der Hamburger Staats- und Universitätsbibliothek. Im Cotta-Archiv des Deutschen Literaturarchivs Marbach am Neckar befindet sich das so genannte Cotta'sche Exemplar; dabei handelt es sich um ein Exemplar der Erstausgabe mit handschriftlichen Eintragungen Schillers für die Ausgabe seiner Theaterstücke im Jahr 1805.

Ausgaben

Ausgaben von Friedrich Schiller: *Die Jungfrau von Orleans*
Kalender auf das Jahr 1802. Die Jungfrau von Orleans. Eine romantische Tragödie von Schiller, Berlin: Johann Friedrich Unger [1801]. [nach dem Kalendarium paginiert] S. 1–260 *[Erstdruck]*
»Die Jungfrau von Orleans. Eine romantische Tragödie«, in: *Theater von Schiller*, Bd. 1, Tübingen: J. G. Cottasche Buchhandlung 1805, S. 355–550
»Die Jungfrau von Orleans. Eine romantische Tragödie«, in: *Schillers Sämmtliche Schriften: Historisch-kritische Ausgabe*, hg. v. Karl Goedeke, Bd. 13, hg. v. Wilhelm Vollmer, Stuttgart 1870, S. 167–336
»Die Jungfrau von Orleans. Eine romantische Tragödie«, in: *Schillers Werke. Nationalausgabe*, Bd. 9: *Maria Stuart. Die Jungfrau von Orleans*, hg. v. Benno von Wiese u. Lieselotte Blumenthal, Weimar 1948, S. 165–454 [Sigle: NA]
»Die Jungfrau von Orleans«, in: *Dramen IV*, hg. v. Matthias Luserke, Frankfurt a. M. 1996 (Werke und Briefe in zwölf Bänden [Frankfurter Ausgabe], Bd. 5), S. 149–277 (Text) und S. 598–678 (Kommentar) [Sigle: FA]

Gesamtausgaben

Werke und Briefe in zwölf Bänden [Frankfurter Ausgabe], hg. v. Otto Dann u. a. Frankfurt a. M. 1988–2004 [Sigle: FA]

Schillers Werke. Nationalausgabe, begründet v. Julius Petersen, fortgeführt v. Lieselotte Blumenthal, Benno von Wiese u. Siegfried Seidel, hg. im Auftrag der Stiftung Weimarer Klassik u. des Schiller-Nationalmuseums in Marbach v. Norbert Oellers. Weimar 1943 ff. [Sigle: NA]

Forschungsliteratur

Friedrich Schillers Leben und Werk

Alt, Peter-André, *Leben – Werk – Zeit,* 2 Bde., München 2000

–: *Friedrich Schiller,* München 2004 (Beck'sche Reihe 2357, C. H. Beck Wissen)

Buchwald, Reinhard, *Schiller,* 2 Bde., Wiesbaden 1959

Damm, Sigrid, *Das Leben des Friedrich Schiller. Eine Wanderung,* Frankfurt a. M./Leipzig 2004

Dörr, Volker C., *Friedrich Schiller,* Frankfurt a. M. 2005 (Suhrkamp BasisBiographie 2)

Friedrich Schiller, Leben und Werk in Daten und Bildern, ausgew. u. erl. v. Bernhard Zeller u. Walter Scheffler, Frankfurt a. M. 1977 (it 226)

Koopmann, Helmut, *Schiller. Eine Einführung,* München/Zürich 1988 (Artemis-Einführungen 37)

Oellers, Norbert, *Friedrich Schiller. Zur Modernität eines Klassikers,* hg. v. Michael Hofmann, Frankfurt a. M./Leipzig 1996

Safranski, Rüdiger, *Friedrich Schiller oder Die Erfindung des Deutschen Idealismus,* München/Wien 2004

Staiger, Emil, *Friedrich Schiller,* Zürich 1967

Storz, Gerhard, *Der Dichter Friedrich Schiller,* Stuttgart 1959

Ueding, Gert, *Friedrich Schiller,* München 1990 (Beck'sche Reihe 616, Autorenbücher)

Wais, Karin unter Mitwirkung v. Rose Unterberger, *Die Schiller Chronik,* Frankfurt a. M./Leipzig 2005

Wiese, Benno von, *Friedrich Schiller,* Stuttgart 1959

Wölfel, Kurt, *Friedrich Schiller,* München 2004 (dtv portrait)

Wilpert, Gero von, *Schiller Chronik. Sein Leben und Schaffen,* Stuttgart 2000 (RUB 18060)

Dokumente, Handbücher, Bibliographien, Forschungsberichte

Darsow, Götz-Lothar, *Friedrich Schiller*, Stuttgart/Weimar 2000 (Sammlung Metzler 330) (Darin: »*Die Jungfrau von Orleans*. Poetisierung des Historischen und Enthistorisierung der Poesie«, S. 199–207)

Hofmann, Michael, *Schiller. Epoche – Werke – Wirkung*, München 2003 (Arbeitsbücher zur Literaturgeschichte)

Luserke-Jaqui, Matthias, *Friedrich Schiller*, Tübingen/Basel 2005 (UTB 2595) (Darin: »*Die Jungfrau von Orleans*«, S. 311–333)

Luserke-Jaqui, Matthias unter Mitarbeit v. Grit Dommes (Hrsg.), *Schiller-Handbuch, Leben – Werk – Wirkung*, Stuttgart/Weimar 2005 (Darin: Ariane Martin, »Die Jungfrau von Orleans. Eine romantische Tragödie«, S. 168–195)

Koopmann, Helmut, *Schiller Forschung 1970–1980, Ein Bericht*, Marbach a. N. 1982 (Deutsches Literaturarchiv. Verzeichnisse, Berichte, Informationen 12)

– in Zusammenarb. mit der Deutschen Schillergesellschaft Marbach (Hg.), *Schiller-Handbuch*, Stuttgart 1998 (Darin: Karl S. Guthke, »Die Jungfrau von Orleans«, S. 442–465)

Oellers, Norbert (Hg.), *Schiller – Zeitgenosse aller Epochen. Dokumente zur Wirkungsgeschichte Schillers in Deutschland*, Teil 1: 1782–1859, Frankfurt a. M. 1970, Teil 2: 1860–1966, München 1976

Goedeke, Karl, [Schiller-Bibliographie bis 1892] in: *Grundriß zur Geschichte der Deutschen Dichtung*, Bd. 5, Dresden 2 1893

Schiller Bibliographie 1893–1958, bearb. v. Wolfgang Vulpius, Weimar 1959

Schiller Bibliographie 1959–1963, bearb. v. Wolfgang Vulpius, Berlin/Weimar 1967

Schiller Bibliographie 1964–1974, bearb. v. Peter Wersig, Berlin/Weimar 1977

Schiller-Bibliographie 1975–1985, bearb. v. Roland Bärwinkel u. a., Berlin/Weimar 1989

Fortlaufende Bibliographien im *Jahrbuch der Deutschen Schillergesellschaft*, bearb. v. Paul Raabe u. Ingrid Bode 6 (1962), v. Ingrid Bode [seit 1974: Ingrid Hanich-Bode] 10 (1966), 14 (1970), 18 (1974), 23 (1979), 27 (1983), 31 (1987), 35 (1991), 39 (1995), 43 (1999), v. Eva Dambacher [seit 2002 unter Mitarb. v. Herman Moens] 44 (2000), 45 (2001), 46 (2002), 47 (2003), 48 (2004), 49 (2005), 50 (2006), v. Nicolai Riedel unter Mitarb. v. Christoph Hilse u. Herman Moens 51 (2007), v. Nicolai Riedel in Zusammenarb. mit Herman Moens 52 (2008)

Zu Friedrich Schillers Dramen

Guthke, Karl S., *Schillers Dramen. Idealismus und Skepsis*, 2. erw. u. bearb. Aufl., Tübingen 2005 (Edition Orpheus 11) (Darin: »*Die Jungfrau von Orleans*. Ein psychologisches Märchen«, S. 235–257)

Hinderer, Walter (Hg.), *Interpretationen. Schillers Dramen*, Stuttgart 1992 (RUB 8807) (Darin: Gerhard Sauder: »Die Jungfrau von Orleans«, S. 336–384)

Zymner, Rüdiger, *Friedrich Schiller. Dramen*, Berlin 2002 (Darin: »*Die Jungfrau von Orleans* – Die Form neu erfinden«. S. 114–129)

Zu Friedrich Schillers *Die Jungfrau von Orleans*

Albert, Claudia, *Friedrich Schiller: Die Jungfrau von Orleans*, Frankfurt a. M. 1988 (Grundlagen und Gedanken zum Verständnis des Dramas)

Betz, Albrecht, »Vom Krieg des Schönen mit dem Witz. Die Jungfrau, Schiller und Voltaire«, in: *Sprachen der Ironie – Sprachen des Ernstes*, hg. v. Karl Heinz Bohrer. Frankfurt a. M. 2000, S. 60–75

Braemer, Edith, »Schillers romantische Tragödie *Die Jungfrau von Orleans*«, in: Edith Braemer/Ursula Wertheim: *Studien zur deutschen Klassik*, Berlin 1960 (Germanistische Studien 5), S. 215–296

Freese, Wolfgang und Karthaus, Ulrich, *Erläuterungen und Dokumente. Friedrich Schiller: Die Jungfrau von Orleans*, Stuttgart 1984 (RUB 8164)

Frey, John R., »Schillers Schwarzer Ritter«, in: *The German Quarterly* 32 (1959), S. 302–315

Frick, Werner, »Trilogie der Kühnheit. *Die Jungfrau von Orleans, Die Braut von Messina, Wilhelm Tell*«, in: *Schiller. Werk – Interpretationen*, hg. v. Günter Saße, Heidelberg 2005 (Beiträge zur neueren Literaturgeschichte 216). S. 137–174

Gabriel, Norbert, »›Furchtbar und sanft‹. Zum Trimeter in Schillers Jungfrau von Orleans (II/6–8)«, in: *Jahrbuch der Deutschen Schillergesellschaft* 29 (1985), S. 125–140

Golz, Jochen, »Der Traum von Harmonie: Die Jungfrau von Orleans«, in: *Schiller. Das dramatische Werk in Einzelinterpretationen*, hg. v. Hans-Dietrich Dahnke u. Bernd Leistner, Leipzig 1982, S. 193–217

Grenzmann, Wilhelm, *Die Jungfrau von Orleans in der Dichtung*, Berlin/Leipzig 1929

Grosse, Wilhelm, *Bearbeitung des Johanna-Stoffes. Dramatische Bearbeitung insbesondere durch Brecht:* »*Die heilige Johanna der Schlachthöfe*«, »*Die Gesichte der Simone Machard*«, »*Der Prozeß der Jeanne d'Arc*«, München 1980

Guthke, Karl S., »*Die Jungfrau von Orleans*. Sendung und Witwenmachen«, in: *Schiller heute*. hg. v. Hans-Jörg Knobloch u. Helmut Koopmann, Tübingen 1996, S. 115–130

Gutmann, Anni, »Schillers Jungfrau von Orleans. Das Wunderbare und die Schuldfrage«, in: *Zeitschrift für Deutsche Philologie* 88 (1969), S. 560–683

Harrison, Robin, »Heilige oder Hexe? Schillers ›Jungfrau von Orleans‹ im Lichte der biblischen und griechischen Anspielungen«, in: *Jahrbuch der deutschen Schillergesellschaft* 30 (1986). S. 265–305

Herrmann, Gernot, »Schillers Kritik der Verstandesaufgabe in der *Jungfrau von Orleans*. Eine Interpretation der Figuren des Talbot und des Schwarzen Ritters«, in: *Euphorion* 84 (1990), S. 163–186

Ide, Heinz, »Zur Problematik der Schiller-Interpretation. Überlegungen zur *Jungfrau von Orleans*«, in: *Jahrbuch der Wittheit zu Bremen* 8 (1964), S. 41–91

Jan, Eduard von: *Das literarische Bild der Jeanne d'Arc (1429–1926)*. Halle a. d. S. 1928

Kaiser, Gerhard, »Johannas Sendung. Eine These zu Schillers *Jungfrau von Orleans*«, in: *Jahrbuch der Deutschen Schillergesellschaft* 10 (1966), S. 205–236

Lange, Sigrid, »Geschichte und Utopie in Schillers *Jungfrau von Orleans*. Versuch einer Neuinterpretation der Titelfigur«, in: *Friedrich Schiller. Angebot und Diskurs. Zugänge, Dichtung, Zeitgenossenschaft*, hg. v. Helmut Brandt, Weimar 1987, S. 311–319

Luserke-Jaqui, Matthias, »Über Schillers Jungfrau von Orleans als Zeugnis eines Epochenumbruchs«, in: ders.: *Über Literatur und Literaturwissenschaft. Anagrammatische Lektüren*, Tübingen/Basel 2003, S. 79–94

Mansouri, Rachid Jai, »Die Jungfrau von Orleans«, in: ders.: *Die Darstellung der Frau in Schillers Dramen*, Frankfurt a. M. u. a. 1988, S. 344–397

Oellers, Norbert, »›Und bin ich strafbar, weil ich menschlich war?‹ Zu Schillers Tragödie *Die Jungfrau von Orleans*«, in: *Friedrich Schiller. Angebot und Diskurs. Zugänge, Dichtung, Zeitgenossenschaft*, Weimar 1987, S. 299–319

Quiquerez, Ivan, *Quellenstudien zu Schillers »Jungfrau von Orleans«. Eine litterarhistorische Untersuchung*, Leipzig 1893

Sellner, Timothy F., »The Lionel-Scene in Schiller's *Jungfrau von Orleans*. A Psychological Interpretation«, in: *The German Quarterly* 50 (1977), S. 264–282

Stephan, Inge, »Hexe oder Heilige? Zur Geschichte der *Jeanne d'Arc* und ihrer literarischen Verarbeitung«, in: *Die verborgene Frau. Sechs Beiträge zu einer feministischen Literaturwissenschaft*. Mit Beiträgen v. Inge Stephan u. Sigrid Weigel. Berlin 1983 (Das Argument. Sonderband 96/Literatur im historischen Prozeß N. F. 6), S. 35–66

Storz, Gerhard, »Schiller: *Jungfrau von Orleans*«, in: *Das deutsche Drama vom Barock bis zur Gegenwart*, hg. v. Benno von Wiese, Bd. 1, Düsseldorf 1958, S. 322–338

–, »Jeanne d'Arc in der europäischen Dichtung«, in: *Jahrbuch der deutschen Schillergesellschaft* 6 (1962), S. 107–148

Thalheim, Hans-Günther, »Schillers Dramen von ›Maria Stuart‹ bis ›Demetrius‹« (Teil I). In: Weimarer Beiträge 20 (1974) H. 1, S. 5–33

Wilm, Marie-Christin, »*Die Jungfrau von Orleans*, tragödientheoretisch gelesen. Schillers Romantische Tragödie und ihre praktische Theorie«, in: *Jahrbuch der deutschen Schillergesellschaft* 47 (2003), S. 141–170

Zur historischen Jeanne d'Arc

Duby, Georges und Andrée (Hg.), *Die Prozesse der Jeanne d'Arc*, Berlin 1985 (Wagenbachs Taschenbücherei 129)

Krumeich, Gerd, *Jeanne d'Arc. Die Geschichte der Jungfrau von Orleans*, München 2006 (Beck'sche Reihe 2396, C. H. Beck Wissen)

Thomas, Heinz, *Jeanne d'Arc. Jungfrau und Tochter Gottes*, Berlin 2000

Winock, Michel, »Jeanne d'Arc«, in: *Erinnerungsorte Frankreichs*, hg. v. Pierre Nora, München 2005, S. 365–410

Filme

Jeanne d'Arc gehört zu den am häufigsten verfilmten Gestalten der Weltgeschichte. Schon 1928 erschien *La Passion de Jeanne d'Arc* unter der Regie von Carl Theodor Dreyer (1889–1968), eines der bedeutendsten Werke der Stummfilmzeit. Bis heute gibt es mehr als 40 Filme über Jeanne d'Arc. Zu den erfolgreichsten und aufwändigsten gehört dabei *Joan of Arc* (1948) mit Ingrid Bergman

(1915–1982) in der Titelrolle. *Jeanne D'Arc – Die Frau des Jahrtausends* (1999) mit Leelee Sobìeski (*1983) in der Titelrolle bietet eine verhältnismäßig geschichtstreue Verfilmung.

La Passion de Jeanne d'Arc (Die Passion der Jungfrau von Orléans)
Frankreich 1927/28
Stummfilm
80 Min.
Regie: Carl Theodor Dreyer
Darsteller: Maria Falconetti (Johanna), Eugène Silvain (Bischof Pierre Cauchon), Maurice Schutz (Nicholas Loyseleur), Antonin Artaud (Jean Massieu), Michel Simon (Jean Lemaître), André Berley (Jean d'Estivet)

Joan of Arc (Johanna von Orleans)
USA 1948
140 Min.
Regie: Victor Fleming
Darsteller: Ingrid Bergman (Johanna), J. Carroll Naish (Johann, Herzog von Luxemburg), George Coulouris (Robert de Baudricourt), Francis L. Sullivan (Pierre Cauchon), Ward Bond (La Hire), José Ferrer (Charles VII), Shepperd Strudwick (Pater Massieu)

The Messenger: The Story of Joan of Arc (Johanna von Orleans)
Frankreich/USA 1999
165 Min.
Regie: Luc Besson
Darsteller: Milla Jovovich (Johanna von Orleans), Vincent Cassel (Gilles de Rais), Dustin Hoffman (das Gewissen), Pascal Greggory (Herzog von Alençon), John Malkovich (König Charles VII), Tchéky Karyo (Dunois), Faye Dunaway (Yolande d'Aragon)

Joan of Arc (Jeanne d'Arc – Die Frau des Jahrtausends)
USA/Kanada 1999
Fernsehserie in zwei Teilen.
183 Min.
Regie: Christian Duguay
Darsteller: Leelee Sobieski (Jeanne d'Arc), Chandra Engstrom (Jeanne als junges Mädchen), Maximilian Schell (Bruder John), Peter Strauss (La Hire), Peter O'Toole (Bischof Cauchon), Jacqueline Bisset (Isabelle d'Arc), Powers Boothe (Jacques d'Arc), Robert Log-

gia (Pater Monet), Olympia Dukakis (Mutter Babette), Maury Chaykin (Sir Robert de Baudricourt), Shirley MacLaine (Madame de Beaurevoir), Neil Patrick Harris (König Karl), Ron White (Dunois), Jonathan Hyde (Herzog von Bedford), Jaimz Woolvett (Philippe, Herzog von Burgund), Chad Willett (Jean de Metz), Ted Atherton (Jean d'Estivet), Jaroslav Fricek (Noel), Robert Haley (La Tremoile), Matt Hoffman (Louis)

Wort- und Sacherläuterungen

7   **Eine romantische Tragödie:** ›Romantisch‹ ist ein Wort mit wech-
selvoller Bedeutung; Ende des 18. Jh.s steht es für ›poetisch‹,
›romanhaft‹, ›phantastisch‹, ›abenteuerlich‹, ›märchenhaft‹;
Schiller an August Wilhelm Iffland am 5. 8. 1803: »Ein Stoff
wie das Mädchen von Orleans findet sich sobald nicht wieder,
weil hier das weibliche, das heroische und das göttliche selbst
vereinigt sind.« (NA, Bd. 32, Nr. 69, S. 58) – Tragödie: Trauerspiel.

8   **Karl der Siebente:** 1403–1461, von 1422 bis zu seinem Tod
König von Frankreich; Sohn Karls VI., der wahnsinnig wurde
und 1422 starb.
Königin Isabeau: ca. 1371–1435, Ehefrau des franz. Königs
Karl VI., Mutter von Karl VII., Tochter von Herzog Stephan III.
von Bayern-Ingolstadt (1337–1413); wegen ihrer Beziehungen
zur burgund. Partei nach Paris verbannt, wo sie ohne Macht
lebte.
Agnes Sorel: 1409–1450, kam 1431 an den Königshof und hatte
als Geliebte Karls VII. großen Einfluss.
Philipp der Gute: 1419–1467, Herzog von Burgund, Vetter von
Karl VII.; hatte 1420 mit den Engländern den Vertrag von
Troyes geschlossen, der ihrem König Heinrich V. den Thron
von Frankreich zusprach.
Graf Dünois: Johann Bastard von Orléans (1402–1468), unehelicher Sohn des Herzogs Ludwig von Orléans.
La Hire: Étienne Vignoles La Hire (1390–1443), franz. Heer-
führer.
Dü Chatel: Tanneguy Duchâtel (ca. 1369–ca. 1449), Schwieger-
sohn von Graf d'Armagnac, Vormund Karls VII.
Erzbischof von Rheims: Regnault de Chartres (1444), war
gleichzeitig Kanzler von Frankreich und hatte großen politi-
schen Einfluss.
Chatillon [...] Raoul: Von Schiller erfundene Figuren.
Talbot: John Talbot Earl of Shrewsbury (1384–1453), Oberbe-
fehlshaber der engl. Armee; wurde 1429 nach einer verlorenen
Schlacht von Jeanne d'Arc gefangen genommen.
Lionel: Von Schiller erfundene Figur.

Fastolf: Sir John Fastolf (1378–1459), engl. Statthalter in der Normandie.

Montgomery: Walis. Adelsfamilie.

Herold: Bote, Verkünder.

Thibaut d'Arc: Vater Johannas.

Marschälle: Hohe militärische Amtsträger.

Gegend: Bei dem lothring. Dorf Domrémy, dem Geburtsort   9
Jeanne d'Arcs.

Eiche: Von den Dorfleuten als Zauber– und Feenbaum angesehen.

Dagoberts: Dagobert I. (ca. 608–ca. 638), von 629 bis 639 me- 9.9
rowing. König; stiftete die Abtei Saint Denis, wo die Insignien
der franz. Könige aufbewahrt wurden.

Sprößling: Heinrich VI. von England (1421–1471), der 1431   9.10
zum König von Frankreich gekrönt wurde.

Vetter: Philipp der Gute, Herzog von Burgund, ein Verwandter   9.14
Karls VII.

Rabenmutter: Bibl. Anspielung: Den Raben wird nachgesagt,   9.15
dass sie ihre Jungen verlassen (vgl. Hiob 38,41); gemeint ist
Königin Isabeau.

Jeanette: Schiller gebraucht hier die franz. Namensform.   10.43

Druidenbaume: Unter einer Eiche opferten die kelt. Priester (Drui- 12.93
den) ihren Göttern; Schiller verbindet diesen Kult mit dem Zau-
ber- und Feenbaum, den Jeanne d'Arc vor Gericht erwähnte.

Nicht Satans Werk: Jeanne d'Arc hat in der Gerichtsverhand- 12.111
lung bestritten, mit bösen Geistern Verbindung zu haben.

Rheims: Reims, der Krönungsort der franz. Könige.   12.115

Wurzeln: Im Prozess sprach Jeanne d'Arc von einer Wurzel, an   13.149
deren Zauber man in ihrer Heimat glaube.

in der Wüste [...] Herrn des Himmels: Bibl. Anspielung: Der   14.155–156
Teufel versucht in der Wüste, Jesus von Gott abzubringen (vgl.
Mt 4,1–4).

Lanzenknechten: Falsche, aber verbreitete Form von ›Lands- 14.176
knecht‹: einfacher Soldat.

Stritt mit dem Wolf [...] schon davon trug: Bibl. Anspielung auf   15.201–202
den starken Samson, der einen Löwen zerreißt (Richter 14,5f.)
und König David, der als Kind das Schaf vor wilden Tieren rettet
(1 Sam 17,34f.).

15.208 **zwei großen Schlachten:** Die Schlachten von Crevant (1423) und Verneuil (1424).

16.215 **der Bienen dunkelnde Geschwader:** Vgl. Homer, Ilias 2,87ff.: Wie Bienenschwärme drängen die Achaier zur Versammlung um Agamemnon.

16.217 **Heuschreckwolke:** Anspielung auf das AT (Richter 6,5): Die Midianiter plünderten Israel wie ein Heuschreckenschwarm (vgl. auch Homer, Ilias 21,12f.).

16.226–233 **die Lütticher [...] Westfriesland:** Nicht alle genannten Regionen gehörten 1430 schon zu Burgund.

17.246 **Jesabel:** Im AT eine sündige phöniz. Prinzessin (vgl. 1. Könige 21,23).

17.247 **Salsbury:** Thomas Montagu Earl of Salisbury (1388–1428), Anführer der engl. Truppen, fiel, als die Belagerung von Orléans begann.

17.249 **Lionel:** Erfundene Figur; der Ritter, der Jeanne d'Arc bei Compiègne gefangen genommen hat, soll Lionel (lat. lion: Löwe) geheißen haben.

17.262 **Notre Dame:** Die der Jungfrau Maria geweihte Kathedrale von Orléans.

17.268 **Saintrailles:** Jean Poton de Xaintrailles (ca. 1390–1461), franz. Heerführer, war zunächst im besetzten Orléans, ging dann nach Chinon, wo sich der König aufhielt, und kam von hier mit Jeanne d'Arc zurück.

17.269 **Bastard:** Graf Dunois, unehelicher Sohn des Herzogs Ludwig von Orléans.

18.287 **Baudricour:** Robert de Baudricourt (1400–1454), Gouverneur von Vaucouleurs, führte Jeanne d'Arc nach Chinon zum König.

18.298 **So tragen wir nicht fremdes Joch:** Hier: so unterwerfen wir uns nicht fremder Herrschaft.

19.321 **Tempelschänder:** Bibl. Anspielung: Psalm 79,1 spricht von Heiden, die Gottes Tempel verunreinigt haben.

19.335 **den Apfel seines Auges:** Anspielung auf AT: Im Gebet Davids kommt der Wunsch vor, von Gott wie ein Augapfel im Auge behütet zu werden (Psalm 17,8).

20.337 **Hier scheiterte der Heiden Macht.:** 451 besiegten die Franzosen die Hunnen bei Reims, 732 die Araber bei Poitiers.

des heil'gen Ludewig: Ludwig IX. mit dem Beinamen »der Heilige« führte den 6. und 7. Kreuzzug an und wurde 1297 heilig gesprochen. · 20.339

Von hier aus ward Jerusalem erobert: Der 1. Kreuzzug unter Gottfried von Bouillon (um 1060–1100), Herzog von Niederlothringen, endete mit der Eroberung Jerusalems 1099. · 20.340

Der König, der nie stirbt: Der Ausspruch beim Tod eines Königs »Le roi est mort, vive le roi!« (»Der König ist tot, es lebe der König!«) steht für die Unvergänglichkeit des franz. Königtums. · 20.346

den heil'gen Pflug: In der german. Mythologie als Gegenstand der Götter verehrt; das Christentum kennt kleine silberne Pflüge, auch mit Heiligenbildern und Inschriften versehene Pflugscharen als Votiv- und Opfergaben sowie die Bitte um Segnung des Pfluges. · 20.347

die Leibeignen in die Freiheit führt: Anspielung auf die Leibeigenschaft, in Schillers Zeit ein drängendes polit. Problem; sie wurde in Preußen 1807 abgeschafft. · 20.349

Löwen um den Thron: Bibl. Anspielung auf 1. Könige 10,19f., wo Löwen als Symbole der Macht um König Salomons Thron stehen. · 20.359

die heil'ge Ölung Empfängt zu Rheims: Die spätere Krönung Karls VII. ist gemeint. · 21.372–373

Saint Denis: Pariser Vorort, wo die Insignien der franz. Könige aufbewahrt wurden. · 21.374

Denn der zu Mosen [...] Pharao zu stehen: Bibl. Anspielung auf 2. Mose 3,1–10, wo Gott Moses aus dem brennenden Dornbusch den Auftrag gibt, zum Pharao zu gehen und die Israeliten aus Ägypten zu führen. · 22.401–403

Knaben Isai's: David, Sohn Isais (Jesses) (vgl. 1. Sam 16,1). · 22.404

Oriflamme: Goldflamme (franz. »oriflamme«); rote Kriegsfahne der franz. Könige; Zeichen dafür, dass Johanna das Heer anführen soll. · 22.419

Normandie: Die Region im Norden Frankreichs war bereits von den Engländern besetzt. · 24.444

René*: Die Anmerkung Schillers findet sich im Erstdruck; gemeint ist René d'Anjou (1409–1480). · 25.470

Lombarden: Norditaliener dominierten die franz. Geldgeschäfte. · 26.498

27.518 **Minne:** Mittelalterliche Liebesvorstellung, zu der die männliche Unterwerfung und die Verehrung der Frau gehören.

27.526 **Liebeshof:** Minnehof (franz. »Cours d'amour«): gespielte Gerichtsverhandlung über Fragen der Minne als Unterhaltung der Hofgesellschaft.

27.533 **ich bin ihr Sohn:** Dunois spielt auf seine uneheliche Geburt an.

28.568 **Graf von Rochepierre:** Der sprechende Name (»Felsenstein«) ist eine Erfindung Schillers, der historische Kommandant hieß Gaucourt.

30.608–612 **Hier, hier ist Gold [...] befriediget die Truppen.:** Die Quellen berichten, dass die Königin dieses Angebot gemacht habe, Schiller schreibt es Agnes Sorel zu.

31.616 **Sie ist edel:** Agnes Sorel war keine Aristokratin.

31.629 **schöpft ins lecke Faß der Danaiden:** Redensart für ›sich vergeblich bemühen‹; die Danaiden sind in der griech. Mythologie die 50 Töchter des Ahnherrn der Griechen, des Königs von Libyen, Danaos, die auf Befehl ihres Vaters alle – bis auf Hypermnestra – in der Brautnacht ihre jungen Ehemänner, die Söhne des Aigyptos, töteten. Als Strafe mussten sie Wasser in ein durchlöchertes Fass schöpfen.

32.652–653 **Weissagung [...] Geiste sprach:** Diese Prophezeiung wird in den Quellen erwähnt. – **Klermont:** Clermont im Westen von Verdun.

33.682 **den Mörder seines Vaters:** Herzog Johann von Burgund (1371–1419) wurde 1419 in Montereau von Orléanisten ermordet, Du Chatel der Anstiftung zum Mord beschuldigt.

33.701 **verlustig:** beraubt; Beschluss im Vertrag von Troyes 1420: Dem Thronfolger Karl VII. wurde der Thron aberkannt, Heinrich V. von England (1387–1422) wurde er zugesprochen.

34.715 **Harry Lancaster:** Heinrich VI. (1421–1471), engl. König 1422–1461 und 1470–1471; 1431 zum franz. König gekrönt.

34.718 **Bedford und Gloster:** Brüder des engl. Königs Heinrich V. Herzog John von Bedford (1389–1435) regierte nach dem Tod seines Bruders Heinrich 1422 die engl. Besitzungen in Frankreich, 1423 schloss er gegen Karl VII. ein Bündnis mit den Herzögen von Burgund und der Bretagne. – Herzog Humphrey von Gloucester (1390–1447), nach 1422 König von England.

Hirnverrückten Vaters: Karl VI. war 1392 wahnsinnig geworden und gezwungen die Regentschaft aufzugeben. 35.737

Megäre: Megaira (griech., »der neidische Zorn«), eine der drei griech. Rachegöttinnen (Erinnyen); allg. böse, wütende Frau. 35.738

Furien: Röm. Bezeichnung der Erinnyen (vgl. Erl. zu V. 738). 36.780

der Parteien Wut: Der Streit zwischen der Orléans-Partei und Burgund. 36.792

Das styg'sche Wasser: Styx, ein Fluss in der Unterwelt, dessen Wasser tödlich ist; wer ihn überschreitet, bleibt für immer im Totenreich. 37.816

Soll ich gleich [...] mit dem Schwert?: Bibl. Anspielung auf das weise Urteil Salomos: Um über ein von zwei Müttern beanspruchtes Kindes zu entscheiden, ordnet Salomon dessen Teilung an; als wahre Mutter stellt sich die leibliche heraus, weil sie das Kind leben lassen will (1. Könige 3, 16–27). 37.822–823

Rocken: Spinnrocken (Stab mit Wollfasern umwickelt, aus denen Garn gesponnen wird). 37.832

Wir gehen über die Loire.: Rückzug in das südl. Frankreich, das Karl noch untergeben ist. 39.871

Mach Frieden mit dem Herzog von Burgund: Gemeint ist Philipp der Gute, Herzog von Burgund; vgl. Erl. zu V. 14 u. 682. 40.885

Bist du es wunderbares Mädchen –: Vgl. Shakespeares *König Heinrich VI.*, 1. Teil I, 2, 64–70. 45.1006

Es waren drei Gebete: Von der Fähigkeit Jeanne d'Arcs, die geheimen Gebete Karls zu erraten, berichten Schillers Quellen. 45.1022

weiße Lilien: Stehen hier (wie im NT) für die Jungfräulichkeit der Muttergottes; vgl. Erl. zu V. 118. 48.1095

Ein ander Schwert: Die Angaben Jeanne d'Arcs über den Fundort ihres Schwertes erwiesen sich als richtig und verstärkten ihre übersinnliche Aura. 49.1145

Fierboys: Sainte-Catherine-de-Fierbois, Dorf etwa 150 km südwestl. von Orléans. 49.1149

Grafen von Ponthieu: Name Karls VII., bevor er Thronfolger wurde. 50.1173

König von England: Wendungen der folgenden Rede stammen aus Jeanne d'Arcs Brief an den König von England, der sich in Schillers Quellen (Rapin) abgedruckt fand. 52.1208

53.1243–1244 **Poitiers, Crequi Und Azincourt:** Die drei siegreichen Schlachten der Engländer im Hundertjährigen Krieg 1356, 1346 und 1415.

55.1285 **Reichsverweser:** Johann Plantagenet, Herzog von Bedford (1389–1435), dritter Sohn Heinrichs IV. von England, königlicher Stellvertreter in den engl. Besitzungen in Frankreich.

58.1402 **Er hat gefrevelt an dem Haupt der Mutter.:** Isabeau meint ihre Verbannung nach Paris mit Billigung ihres Sohnes Karl VII.

61.1472 **über den Strom zurück:** Auf das nördl. Ufer der Loire, wo Orléans liegt und man die Engländer geschlagen hatte.

63.1513 **Doch nimm das Schwert, das tödliche, nicht selbst:** Jeanne d'Arc trug Fahne und Schwert als Zeichen ihrer göttlichen Sendung, kämpfte und tötete aber nicht.

64.1552 **Wo soll ich hinfliehn?:** In den Szenen mit Montgomery (6. und 7. Auftritt, bis V. 1675) verwendet Schiller das Versmaß des antiken Trimeters (drei Doppeljamben mit Zäsur nach der 5. oder 7. Silbe).

69.1687–1690 **Verfluchte! [...] du aufgestiegen bist.:** Vgl. Shakespeare, *König Heinrich VI.*, 1. Teil, I,5,4–7.

70.1714 **Schildknappen:** Jungen und junge Männer, die bei einem Ritter das Waffenhandwerk und die Regeln des höfischen Lebens lernen.

71.1743 **Sirene:** Weibl. Fabelwesen in der griech. Mythologie, das mit Gesang die Seefahrer anlockt, um sie zu töten.

73.1798 **Donnerkeil:** Kegelförmiger Stein, Waffe des Gottes Thor (Zeus, Jupiter), verleiht Stärke und Zauberkraft.

vor 74.1812 *Chalons an der Marne*: Karls Truppen standen etwa 30 km südöstl. von Reims.

vor 74.1812 〈ERSTER AUFTRITT〉: Erst nach der Uraufführung eingefügt.

76.1877 **Lethe:** In der griech. Mythologie einer der Flüsse der Unterwelt; wer aus ihm trinkt, verliert die Erinnerung.

76.1888 **Hostie:** In der kath. Kirche das zum Abendmahl verwendete Brot.

78.1934 **Arras:** Stadt in Flandern, wo Philipp Hof hielt.

79.1953–1955 **dies Herz [...] diesen Tag gesehn:** Vgl. Lukas 2,29f.: »Herr, nun läßt du deinen Diener in Frieden fahren, [...] denn meine Augen haben deinen Heiland gesehen.«

81.1993 **Phönix:** Ein myth. Vogel, der verbrennt und aus seiner Asche wieder aufsteigt.

als Priesterin geschmückt: Anspielung auf heidnische Bräuche der Antike. 82.2027

Ein güt'ger Herr [...] und ohne Vorbehalt: Johanna verwendet hier Motive aus der Bergpredigt (Mat 5,45). 83.2054–2063

du wirst [...] hinter unbeschifften Meeren.: Die Prophezeihungen Johannas weisen auf historische Ereignisse voraus: auf die Franz. Revolution (V. 2098–2101), auf Philipps Enkelin Maria von Burgund, die zur Stammmutter des habsburg. Weltreichs wurde (V. 2112), auf die Entdeckung Amerikas (V. 2117f.), auf die Entzweiung zwischen Karls und Philipps Söhnen (V. 2123f.) 84.2091–85.2118

Doch eine Hand [...] schleunig Halt gebieten.: Nach Philipps Sohn stirbt die männl. Linie des Hauses Burgund aus. 84.2109–2110

Wappen: 1492 erhielt Jeanne d'Arc vom König ein eigenes Wappen, das ein goldenes Schwert mit Krone, gerahmt von zwei goldenen Lilien auf blauem Grund, zeigt. 86.2148

heil'ge Öl: In der Kathedrale von Reims wird seit dem frühen Mittelalter ein Öl aufbewahrt, mit dem der König Frankreichs bei seiner Krönung gesalbt wird; der Vorgang ist Ausdruck der königl. Heiligkeit. 88.2220

Ihr Kleingläubigen!: Der Begriff erscheint im NT bei Matth. 6,30; 8,26; 14,31; 16,8; Lk 12,28. 89.2251

lichthelle Tochter Des göttlichen Hauptes: Athene, die griech. Göttin der Künste, des Krieges und der Weisheit, wurde aus dem Kopf des Zeus geboren. 92.2320–2321

Pallas: Beiname der griech. Göttin Athene; vgl. Erl. zu V. 2320f. 105.2639

Hellebardierern: Träger von Hellebarden (Stangenwaffen). vor 112.2795

das Schwert: Sinnbild von Macht und strafender Gerechtigkeit. vor 112.2795

Reichsapfel: Weltkugel mit Kreuz, Sinnbild der Königsherrschaft. vor 112.2795

Gerichtsstabe: Zeichen höchster Gerichtsbarkeit. vor 112.2795

Rauchfaß: Weihrauchfass (im kath. Gottesdienst verwendet). vor 112.2795

S'Ampoule: Fläschchen mit dem Salböl der franz. Könige (in Reims aufbewahrt). vor 112.2795

Ich kann nicht bleiben [...] muß ich suchen!: Vgl. Gretchen in der Domszene in Goethes *Faust I*: »Die Mauerpfeiler befangen mich! Das Gewölbe drängt mich!« 114.2854–2857

118.2957 **heiligen Denis:** Saint-Denis, Märtyrer, Schutzpatron Frankreichs, erster Bischof von Paris.

vor
119.2970 ELFTER AUFTRITT: Von hier an ist die Handlung frei erfunden; Jeanne d'Arc wurde angeklagt, schwor ab, nachdem sie lange standhaft geblieben war, und wurde am 30. 5. 1431 öffentlich als Hexe verbrannt.

120.2992 **Sabbat:** Der Hexensabbat, das regelmäßige nächtliche Fest der Hexen und Teufel.

120.2995–
2996 **die Punkte [...] sie gezeichnet hat:** Körperliche Male, mit denen der Teufel angeblich Hexen bezeichnet.

vor
121.3021 *Donnerschlag:* Als göttl. Zeichen und Theatereffekt (deus ex machina) eingesetzt.

129.3192–
3193 **ohne Götter fällt [...] Haupt des Menschen:** Sprichwort mit bibl. Bezug; vgl. Matth. 10, 29–31; Lk 12,7 und 21,18.

135.3321 **Palladium:** Standbild der Athene, das schützen sollte; hier als Sinnbild der Unverletzlichkeit verwendet.

140.3449 **Gott! Gott! So sehr wirst du mich nicht verlassen!:** Vgl. die Worte des gekreuzigten Jesus: Mt 27,46; Mk 15,34.

141.3472 **Simson:** Einer der Richter im AT; er hatte übergroße Kräfte und wurde gefesselt von Gott befreit (Richter 15,14).

Suhrkamp BasisBibliothek
Text und Kommentar in einem Band

»Die Suhrkamp BasisBibliothek hat sich längst einen Namen gemacht. Als ›Arbeitstexte für Schule und Studium‹ präsentiert der Suhrkamp Verlag diese Zusammenarbeit mit dem Schulbuchverlag Cornelsen. Doch nicht nur prüfungsgepeinigte Proseminaristen treibt es in die Arme der vielschichtig angelegten Didaktik, mit der diese unprätentiösen Bändchen aufwarten. Auch Lehrer und Liebhaber vertrauen sich gerne den jeweiligen Kommentatoren an, zumal die Bände mit erschöpfenden Hintergrundinformationen, Zeittafeln, Entstehungsgeschichten, Rezeptionsgeschichten, Erklärungsmodellen, Interpretationsskizzen, Wort- und Sacherläuterungen und Literaturhinweisen gespickt sind.«
Frankfurter Allgemeine Zeitung

Ingeborg Bachmann. Malina. Kommentar: Monika Albrecht und Dirk Göttsche. SBB 56. 389 Seiten

Jurek Becker. Jakob der Lügner. Kommentar: Thomas Kraft. SBB 15. 351 Seiten

Thomas Bernhard
- Amras. Kommentar: Bernhard Judex. SBB 70. 144 Seiten
- Erzählungen. Kommentar: Hans Höller. SBB 23. 171 Seiten
- Heldenplatz. Kommentar: Martin Huber. SBB 124. 205 Seiten

Marcel Beyer. Flughunde. Kommentar: Christian Klein. SBB 125. 347 Seiten

Bertolt Brecht
- Der Aufstieg des Arturo Ui. Kommentar: Annabelle Köhler. SBB 55. 182 Seiten

Johann Wolfgang Goethe
- Egmont. Kommentar: Helmut Nobis. SBB 127. 184 Seiten
- Faust I. Kommentar: Ralf-Henning Steinmetz. SBB 107.
  298 Seiten
- Götz von Berlichingen. Kommentar: Wilhelm Große.
  SBB 27. 243 Seiten
- Die Leiden des jungen Werthers. Kommentar: Wilhelm
  Große. SBB 5. 222 Seiten
- Wilhelm Meisters Lehrjahre. Kommentar: Joachim Hagner.
  SBB 85. 700 Seiten

Grimms Märchen. Kommentar: Heinz Rölleke. SBB 6. 136 Seiten

Peter Handke. Wunschloses Unglück. Kommentar: Hans
Höller. SBB 38. 131 Seiten

Friedrich Hebbel. Maria Magdalena. Kommentar: Florian
Radvan. SBB 74. 150 Seiten

Christoph Hein. Der fremde Freund. Drachenblut.
Kommentar: Michael Masanetz. SBB 69. 236 Seiten

Hermann Hesse
- Demian. Kommentar: Heribert Kuhn. SBB 16. 233 Seiten
- Narziß und Goldmund. Kommentar: Heribert Kuhn.
  SBB 40. 407 Seiten
- Siddhartha. Kommentar: Heribert Kuhn. SBB 2. 192 Seiten
- Der Steppenwolf. Kommentar: Heribert Kuhn. SBB 12. 306 Seiten
- Unterm Rad. Kommentar: Heribert Kuhn. SBB 34. 275 Seiten

E. T. A. Hoffmann
- Das Fräulein von Scuderi. Kommentar: Barbara von Korff-
  Schmising. SBB 22. 149 Seiten

NF 279b/5/5.13

NF 279b/6/5.13

Zeitgenössische deutsche Literatur
in der Suhrkamp BasisBibliothek

NF 1061/1/10.14

- Der geteilte Himmel. Kommentar: Sonja Hilzinger. SBB 87. 337 Seiten
- Kassandra. Kommentar: Sonja Hilzinger. SBB 121. 269 Seiten
- Medea. Kommentar: Sonja Hilzinger. SBB 110. 255 Seiten

NF 1061/2/10.14